未墾地に入植した満蒙開拓団長の記録

堀忠雄『五福堂開拓団十年記』を読む

黒澤 勉
小松靖彦
【編】
Kurosawa Tsutomu
Komatsu Yasuhiko

文学通信

〔目次〕

第二部　『五福堂開拓団十年記』を読む

拓務省第六次　五福堂開拓団十年記（巻一）　元団長　堀　忠雄　39

第三部　五福堂開拓団のその後

はしがき――満蒙開拓団の悲劇の中の人間の「可能性」

小松靖彦

「国策」だった満蒙開拓団

二〇世紀前半、多くの日本人が農業移民として中国東北部に渡った。その数は約二七万人と言われる。今日、その移民団は、「満蒙(まんもう)開拓団」と呼び習わされている。

満蒙開拓団の派遣は、大日本帝国政府による「国策」であった。当時、中国東北部に駐屯した日本陸軍の「関東軍」も、派遣を積極的に推進した。満蒙開拓団の派遣先は、中国東北部に日本が建てた傀儡(かいらい)国家「満洲国」である。「満洲国」政府をはじめ、日本が設立した国策会社・南満洲鉄道株式会社(満鉄)、日本と「満洲国」合弁の国策会社・満洲拓植公社(満拓)などの企業が、満蒙開拓団に深く関わった。

当初「移民団」と称された満洲農業移民は、一九三六年(昭和一一)に、政府によって「二十ヵ年百万戸送出計画」が決定された後、「開拓団」と呼ばれるようになる。しかし、ほとんどの場合、真の意味での「開拓」からは遠いものであった。実際には、「満洲国」政府が選択し、満拓が買収した現地住民の既墾地に入植したのである。

一九四五年、「満洲国」の崩壊によって、満蒙開拓団は過酷な運命に見舞われることになった。関東軍に置き去りにされた人々は、南下してきたソビエト連邦軍の攻撃と、かつて土地を奪われた現地住民からの激しい襲撃を受けたのである。それらから逃れるために集団自決を選んだ開拓団もあった。一方、生き延びるために南をめざした開拓団でも、逃避行の中で多数の人々が病や飢餓に斃(たお)れた。

異彩を放つ移民団、五福堂開拓団と堀忠雄

このような満蒙開拓団の悲惨な歴史の中にあって、異彩を放っている移民団がある。それは、堀忠雄(ほりただお)（一九一〇〈明治四三〉～二〇〇三〈平成一五〉）を団長とする新潟県派遣五福堂(ごふくどう)開拓団である。五福堂開拓団は、ほとんどが未墾の土地に入植した。一部の既墾地については、現地住民がそのまま耕作を続けることを認め、現地住民たちとの間に良好な関係を築いた。

日本の敗戦が伝わると、五福堂開拓団は直ちに「満洲国軍」に降伏し武装解除した。その後到来したソ連軍に対して、耕作を続け越冬することを訴え、これを認めさせた。中国共産党支配下に入ってからも耕作を続け、五福堂開拓団が解散となって帰国の途に就いたのは、一九四六年九月三日のことであった。敗戦から一年余り、五福堂開拓団は身を守りきったのである。中国共産党によって残留を命じられ、専門的技術を必要とする仕事に従事させられた人々（これを「留用」と言う）や、炭鉱労働者とされた人々などもあったが、多くの団員が帰国を果たすことができた。

こうした五福堂開拓団のあり方をリードしたのが若き団長・堀忠雄である。二七歳の誕生日の目前に団長に着任（一九三七年七月）し、開拓団解散時には三六歳であった。堀は、開拓団経

営の方針を、地主制度とその因襲から解放された農村造りに置いた。敗戦直後には、団員全員が生き抜くことを指針とした。満蒙開拓団長としての堀の行動は、常に理性的であった。

堀忠雄の新たな資料

本書は、堀の生涯を紹介し、新たな資料として、堀の手書き本『拓務省第六次 五福堂開拓団十年記（巻一）』（以下、『五福堂開拓団十年記』）を活字に起こし、注と解説を加えたものである。堀は生前、五福堂開拓団に関する文章を数多く発表しているが、『五福堂開拓団十年記』には、それらの文章には書き尽くされていない、団長としての理想や逡巡・後悔、関東軍や満拓などとの厳しいやりとりが鮮明に記されている。堀は自身の夢を、

唄う村民にしよう。歌う村を創ろう。踊る拓士と共に人生の歓喜を配(わか)ち合う。その中から新しい歴史を軌(か)き続けてゆきたい。（本書四七頁）

と記している。先遣隊の入植から太平洋戦争初期までの時期の出来事を記す『五福堂開拓団十年記』には、開拓の喜びを民謡で表現する村民たちの姿が生き生きと描かれている。その一方で、水田耕作の失敗や団員間の軋轢、不慮の事故で亡くなった団員と開拓団を去って行った女性たちの姿も描き込まれている。『五福堂開拓団十年記』は、常に理性的行動をとった堀の内側にあった感情のゆらぎの記録として、また、敗戦以前の五福堂開拓団の暮らしの記録として極めて貴

重である。
『五福堂開拓団十年記』は、一九六九年頃に執筆された。堀はその三年後の一九七二年、岩手県におけるすべての公務を辞し（堀は敗戦後岩手県で開拓の指導に当たった）、かつての団員の訪問を開始している。『五福堂開拓団十年記』は、満蒙開拓団の歴史の真実を明らかにするための旅を始めるに先立ち、堀自身の心の整理を試みたものであったと思われる。

表紙には妻の着物

手書き本である『五福堂開拓団十年記』はあくまでも堀とその妻・史子（ふみこ）（表紙に史子の着物の裂（きれ）を使用〈第二部扉写真参照〉）のための記録であったと見られる。しかし、端正なペン書きで清書され、きちんと製本された『五福堂開拓団十年記』の書物としての姿には、真実を記録し後世に伝えたいという強い思いが滲（にじ）んでいる。

本書の構成

新資料である『五福堂開拓団十年記』の理解を深めるために、本書では次のような三部構成をとった。
第一部において、堀忠雄の生涯を解説した。特に五福堂開拓団長就任に至るまでと、敗戦後の活動について詳しく記した。第二部として、『五福堂開拓団十年記』の翻刻を注とともに収録した。『五福堂開拓団十年記』は、一九三七年六月から一九四二年一〇月までの五年間の五福堂開拓団の出来事を記録する。第三部に、敗戦後の五福堂開拓団の歴史を補うものとして「私は終戦にこう対処した」、また、満蒙開拓団についての堀の考えをより明確にするために「満洲開拓団受難を考える」、「開拓忌三十三年」という三編の堀の文章を収録した。

満蒙開拓団の引き揚げが始まった一九四六年から七五年を超えた今、開拓団を直接知る人々も少なくなり、満蒙開拓団は遠い記憶となりつつある。しかし、満蒙開拓団の派遣は、近代日本の決して忘れてはならない歴史的出来事である。『五福堂開拓団十年記』は、満蒙開拓団とは何であったかを知るための新たな材料を提供するものである。そして、悲劇的な満蒙開拓団の歴史の中になおも存在していた人間の「可能性」を伝えてくれるものである。この『五福堂開拓団十年記』によって、満蒙開拓団の歴史が改めて思い起こされることを願ってやまない。

*なお、編者は「満洲国」建国を肯定するものではない。「満洲国」などの用語は、歴史を伝えるものとして使用した。また、堀忠雄の文章には、「満洲国」について肯定的な発言も見られるが、歴史の一つの証言として捉えていただきたい。

凡例

本書は、元五福堂開拓団長・堀忠雄の未刊の著作『拓務省第六次 五福堂開拓団十年記(巻一)』(以下、『五福堂開拓団十年記』)を翻刻し紹介するものである。この著作の理解を深めるために、第一部に著者・堀の評伝、第二部に翻刻と注、第三部に関連する既発表の堀の文章三編という三部構成とし、末尾に解説を加えた。

〔**今日から見て差別的な表記について**〕

『五福堂開拓団十年記』および第三部の堀の文章中には、今日から見て差別的な表現も含まれるが、歴史的資料性を考え、原文通りとした。

〔**『五福堂開拓団十年記』の記述の一部削除について**〕

翻刻に際して『五福堂開拓団十年記』の中の、今日から見て、個人的事情に立ち入り過ぎていると思われる記述については、編者の判断で削除した。

〔**『五福堂開拓団十年記』の翻刻について**〕

『五福堂開拓団十年記』の翻刻は、現代の読者の読みやすさを旨とし、以下の方針で行った。

1、本文の採択について

『五福堂開拓団十年記』原本(以下、「原本」)には、以下の四種類の筆が見られる(その他、地図に朱色鉛筆も使われている)。

①青黒太字万年筆(本文)

②青黒細字万年筆(①と同筆で、注釈や振り仮名などを記す)

③黒中字万年筆(①と同筆か不明。本文に修正を加える)

④細字青ボールペン(①③と同筆か不明。本文に加筆する)

翻刻では、②③④の加筆修正後の本文を採択した。

2、体裁(レイアウト)について

原本は段落の最初を基本的に一字下げとしていない(一字下げとしている箇所もある)。また、詩歌の引用の前後に空行を置く場合もあるが統一されていない(たとえば、引用の前のみ)。翻刻では、今日一般的な体裁(レイアウト)に整理した。

3、漢字について

旧字体は新字体に、異体字は正字体または常用漢字体に改めた。また、慣用的な表記(「仲々」、「午后」など)や同音による当て字(「照介」、「格向」、「返つて」など)も、今日一般的な表記とした。なお、原本では、同じことばが異なる字体で書かれる場合がある(「聯隊」/「連隊」、「東條」/「東条」など)が、これらは歴史的に一般的な字体とした(例では「聯隊」、「東條」)。また、「~学校々長」と「~学校長」が両用されているが、原本のままとした。

4、数字・単位の表記について

原本では、数字・単位の表記が不統一であるが、原本のままとした。

5、仮名遣い・踊り字などについて

(1) 原本は歴史的仮名遣いと現代仮名遣いの両方を用いるが、翻刻では現代仮名遣いに統一した。また、踊り字を用いるが、それらは本来の文字とした。

(2) 原本は状態の副詞を構成する「と」に平仮名と片仮名の両方を用いるが、翻刻では平仮名に統一した。

6、句読点について

原本には、句読点が記されている。特に読点は多数である。句点と読点の使い方は必ずしも統一されていない。また、読点か書き癖による点か判読できないものもある。翻刻では、原本の句読点にこだわらずに、今日の読者が読みやすいように句読点を施した。

7、原本の誤字について

(1) 明らかな漢字の誤字は修正した。ただし、誤字と思われるが、判断に迷う場合は、(ママ)を付した。

(2) 人名、地名などの固有名詞、歴史的事件の名称の明らかな誤りについては修正した。

(3) 五福堂開拓団員の氏名の漢字表記について、原本が『梢火』と異なる場合には、『梢火』の表記に修正した。

(4) 平仮名の脱字は本文を変えずに、〔 〕で補った。また、文脈からすると、助詞などが明らかに間違っている場合は、その右傍に、正しいと思われる助詞などを〔 〕で記した。

(5) 送り仮名については、今日の表記では一般的でないものもあるが、原本のままとした。ただし、同じ漢字の送り仮名が不統一の場合は概ね今日の一般的表記に統一した。

8、漢字の読み仮名について

原本の漢字には、ところどころ読み仮名が振られている。それらに加えて、必要と思われる漢字には読み仮名を振った(日本語としての読みは平仮名、中国語または中国語的読みは片仮名)。ただし、( )などで編者が加えた読み仮名であることは示さなかった。

なお、原本には片仮名の読み仮名も見られるが、それらについては基本的に原本のままとした。また、中国の地名の読みは、おおむね原本とその他の堀の著作に従った。

9、編者による補足について

(1) 原本の年号、専門用語、歴史的語彙などで説明が必要と思われるものについては、編者が本文中に〔 〕で説明を加えた。なお( )の説明は原本のものである。

(2) 原本で姓のみを記す人名については、他の資料から名が判明する場合には、編者が補った。これについては〔 〕は用いていない。

(3) 詳しい説明が必要なことばについては、脚注で説明を加えた。

〔『五福堂開拓団十年記』各章の梗概について〕

読者の便を考えて、『五福堂開拓団十年記』各章冒頭に、編者が梗概を加えた。その際、五福堂開拓団の歴史の中でのその章の位置がわかるように、時代区分を〈 〉で示した。

『五福堂開拓団十年記』が記す範囲の五福堂開拓団の歴史は、『榾火』によって以下のように区分できる。

先遣隊期	一九三七年（昭和一二）六月一九日の先遣隊入植からの時期
本隊入植期	一九三八年（昭和一三）一月一九日の第一本隊五〇名入植からの時期（なお、本格的な本隊一二〇名入植は三月八日）
家族招致期	一九三八年（昭和一三）七月二九日の家族招致からの時期（ただし、『榾火』の中でゆれがあり、九月から優先家族の招致が始まったとする記事もある〈一三〇頁〉）
村制実施期	一九四二年（昭和一七）四月一日の村制移行からの時期

〔**第三部に収録した堀忠雄の文章について**〕

三編の文章の出典は以下である。

・「私は終戦にこう対処した」平和祈念事業特別基金編集・発行『平和の礎　海外引揚者が語り継ぐ労苦　Ⅷ』一九九八

・「満洲開拓団受難を考える」堀忠雄編『満洲開拓追憶記　第一集』岩手県満洲開拓民自興会、一九七四・九

・「開拓忌三十三年」堀忠雄編『満洲開拓追憶記　第四集』岩手県満洲開拓民自興会、一九七七・八

なお、本書への再録にあたり、以下の修正を加えた。

(1) 明らかな誤植は修正した。

(2) 必要と思われる漢字には、読み仮名を振った（日本語としての読みは平仮名、中国語または中国語的読みは片仮名）。中国の地名の読みは、おおむね『五福堂開拓団十年記』とその他の堀の著作に従った。

(3) 年号については、〔 〕で西暦を加えた。

第一部

堀忠雄の生涯

五福堂開拓団長・堀忠雄は一九一〇年（明治四三）に、現在の山形県酒田市の農家に生まれた。東京帝国大学農学部実科に進学した堀は、満洲農業移民の指導者・加藤完治に出会い、「満洲国」での農業指導を志す。第一部では、堀の感性と知性を培ったものと、敗戦による帰国後も保ち続けた満洲の記憶と開拓精神を見つめる。

堀忠雄（出典：『榾火』）

五福堂開拓団幹部
左から堀忠雄、小野元吉、岸田雄三郎（出典：『榾火』）

拓魂――堀忠雄の生涯

黒澤 勉

堀家の子

堀忠雄は一九一〇年（明治四三）七月一五日、山形県の酒田町中平田（現在の酒田市東部の熊手島あたり）に生まれた。父、熊太郎（本名の「正範」はほとんど使わなかった）は堀家第十三代の当主で、地主として広い田畑（大正時代、その所有する田畑は一五町歩あったという）、山林を所有、小作人を使用する大地主で、酒田における名家として知られていた。堀家の広大な屋敷には沢山の柿の木、梨の木、栗の木、梅の木、ナツメやイチジク、柊などが植えられており、納屋、米蔵、味噌蔵、母屋に続いて鶏小屋、馬小屋があった。

父はよく幼い忠雄を首に乗せて田んぼのクロ（畦道）を見て歩いた。忠雄は生涯にただ一度、目が眩むほどこの父に殴られた忘れ難い記憶があるが、自分に寄せる父の深い愛情を疑うことはなかった。そればかりでなく地域につくした漢籍の教養豊かな学者肌の人物として父を尊敬もしていた。

熊太郎は人々の人望厚く、若い頃、県会議員を務めたこともあるが、定年まで耕地整理組合の仕事に携わっていた。忠雄の生まれた年は熊太郎が組合の副長として新しい事業に着手した年でもあった。だが、各部落の田にかける水を配分する導水路の設計を巡って紛争が起こり、そのため足掛け五年も投獄された。「官吏侮辱罪」という罪名であったところから推測するに政府、官僚への批判・反対運動であったかとも思われる。

熊太郎は一九二八年（昭和三）、六八歳で死去した。死因は食道がんであった。没後、一九三五年、中平田の神社に郷土に尽くした偉人として熊太郎の銅像が建立された。地元の人々の信頼が厚かったことを物語るものである。こうした父、熊太郎の存在は満洲開拓、戦後開拓に生きた忠雄の生涯に大きな影響を及ぼしている。

母の思い出

忠雄の母は「鷹（たか）」といい父、熊太郎の後妻であった。熊太郎は先妻、「千代（ちよ）」が病死して、鷹と再婚した。千代には長男、隼雄の下に三人の子供（豊美（とよみ）、皎（こう）、正美（まさみ））があり、鷹は千代松、忠雄、二人の子供を産んでいる（鷹は熊太郎と結婚する前に羽黒峠の旅館に嫁入りしたが夫の死後離籍していた）。忠雄は鷹、四二歳の時の末っ子で深く愛された。

一九一七年（大正六年）四月一日、忠雄は母に連れられて中平田尋常小学校の入学式に向かった。母は除雪された道筋を忠雄の手を取り、新しい草履（ぞうり）履きで付いて行ってくれた。帰り道では「忠雄の先生は酒田女学校を出た優しい人で良かった」と喜んでくれた。忠雄はこの（池田）先生が大好きになった。成績は皆、「優」だった。

小学校から中学校へ

忠雄は中平田高等小学校四年の時、クレヨンを使って描く児童書画コンクール優等賞を受賞した。図画が得意であったところから（旧制）酒田中学校の時は、「面白半分に」上野の美術・音楽学校の入学資料を取り寄せた（この時「芸人になるのか」と父に激怒された）のも、美術や造形に関心があったからである。後年になって忠雄の書いた文章にも、手書きで家の間取りや地図、図形などが豊富に収められて理解を助けている。

忠雄はまた跳び箱、棒高跳びなどの競技も得意で小学校時代後半はあまり勉強しない「不良少年」「腕白少年」であった。そのため、小学校六年の終わりに行われる酒田中学校の入学試験に落第し、翌年、合格している。本人の書いたものによると成績は「酒田中学校ビリ」であったという。

酒田中学校に入学後、それが一変する。特に中学三年、担任でもあった英語教師の斎藤重蔵の英詩朗読に感激、斎藤を心から尊敬するようになった。斎藤の信頼も厚く二人の交流は生涯続いた。中学校ではまた古典、特に西山先生の『平家物語』に感動した。酒田中学校ではこうした文学への熱い感激もあった。

小学校で得意だった運動も相変わらず続け、中学では競技部に所属し、体操、鉄棒、棒高跳びなどの練習にも励んだ。特に棒高跳びは中学四年の時、県下の中学校生徒の記録保持者（三メートル一三センチで山形県のレコードを作り優勝した）となった。

東根幾久子

青春は恋の季節である。ここで忠雄の生涯にとって重要な女性の一人――東根幾久子について紹介してみたい。

一九九六年(平成八)六月二九日に書かれた回想的日記『幾久子抄』には次のようなメモがある。

幾久子の死んだのは昭和六年七月三一日だ。七月三一日という日は、私にとって祈る日で今まで七月三一日は八四歳になっても思わない日はない。

昭和六年一九三一年―一九九六年＝六五年目になる。

私はバカだろうか？？？

若き日の恋人の命日を八四歳になる今日まで毎年、思い起こし祈る。それを詩として作る。その純情、一途さは高村光太郎と智恵子を思い出させる。それにしてもどんな女性で、どんな交流があったのか……。

酒田中学で五年間、同じクラスだった親友の林政太郎が紹介してくれたのが東根幾久子であった。幾久子の家は林政太郎の家の向かいにあって、政太郎は時折、幾久子が三味線を弾くのを聞いていた。幾久子は一九一二年(明治四五)に芸者、千代女の私生児として生まれ、一七歳で女学校を卒業、翌一九二九年(昭和四)に結婚するが翌、一九三〇年に離婚、その後、忠雄との交際があったが一九三一年満二〇歳で死去している。腸結核で真夏の日にひっそり死んでいったという。

　忠雄との、はかなくロマンチックな関係のままに、幾久子は亡くなるが、その恋は忠雄の胸の中で、生涯の思い出として反芻（はんすう）された。幾久子の写真も詩文集『幾久子抄』に貼り付けられている。生涯の恋人といっても良い。

　幾久子が亡くなって一人の女性が現れた。女給、高柳千代（たかやなぎちよ）である。千代は幾久子を失って失意のさ中にある忠雄を誘って映画を共に見たのち、彼女の下宿に泊まらないかと強く誘惑してきた。忠雄はそれを断ったが、その時のことも忘れ難い思い出として幾度も反芻された。


大学卒業から渡満に至るまで――加藤完治と堀忠雄

　忠雄が大学を卒業してから、満洲に渡るまでの歩みを辿ってみよう。

　一九二九年（昭和四）、忠雄は酒田中学校を卒業して東京高等工芸精密科を受験するが失敗、友人渋谷恒喜（しぶやつねのぶ）と東京の予備校で学ぶ。浪人して勉強した甲斐（かい）があって、一九三〇年四月、渋谷は明治大学経済学部に合格、忠雄は東京帝国大学農学部実科に合格した。

　農学を専攻したのは地主の子としてそれが一番自然な道だからであろう。父の了解もあった。隼雄（はやお）（腹違いの兄）も駒場（帝国大学農学部）で学んでいるし千代松（ちよまつ）（同腹の兄）も同じく駒場で、正孝（隼雄の子）は宇都宮高等農林で学んでいる。

　帝国大学の入学試験は七倍強の倍率。新入生は一年間、寮生活をするのが義務であった。一室に四人から五人、室長は上級生で、忠雄はこの寮でマンドリンに熱中、「名手」と言われた。

特に独奏曲「東洋の夢」が好評だった。

二年生になって「駒場741番地」に転居。友人、渋谷恒喜、従兄（腹違いの兄、隼雄の子）の堀允の三人で共同生活したが、農場実習が割り当てられて一人住まいとなった。実習は桑の中耕なども あり重作業だった。

帝国大学農学部の前身は駒場農学校といい駒場にあったが、一九三五年に本郷に移転して帝国大学農学部となった。同校は文明開化の進んだ西欧文明を模倣、吸収することに始まった。特にプロイセンの農芸化学を取り入れ「日本近代農業のゆりかご」とも称され、優秀な農学者を輩出、満洲開拓についての世論形成に大きな役割を果たした、加藤完治（一八八四年〈明治一七〉～一九六七年〈昭和四二〉）、石黒忠篤（一八八四年〈明治一七〉～一九六〇年〈昭和三五〉）、那須皓（一八八八年〈明治二一〉～一九八四年〈昭和五九〉）も、皆同校の卒業生である。

一九三一年の春、那須皓教授の司会で加藤完治の講演会が駒場林学教室であった。これは忠雄の人生を決定づける大きな出来事であった。赤城山で暴風雨にあって遭難しかけたが、その「死」の経験を通して「生の肯定」に至った話など、加藤は熱く語った。感銘を覚えた忠雄は、加藤完治の人間性を「分析研究」しようと決意した。そのために一九三一年、続いて一九三二年の二回にわたって茨木県友部にある日本国民高等学校を訪ねて一週間を過ごした。それは加藤完治が校長を務める学校として知られていた。就職の厳しい時代だったが忠雄は加藤完治のもとで「研究生」として研修に励んだ。

忠雄は加藤完治の影響で、農業の尊さを知り、「農業こそは国の基、農業なくして国の栄えなし」という信念を持つようになった。また、堆肥を作る実習を通して、農業が「経験」であること、農学と教育は一体だ、という自覚を深めた。

加藤完治は後に満蒙開拓青少年義勇軍を設立（先遣隊派遣は一九三八年）、カリスマ的な指導力を発揮、農村青少年の憧れの対象となった。だが義勇軍の名のもとに、八万六千人にも及ぶ青少年を満洲に送り、内、二万四千人が亡くなった。その責任を問う厳しい追及の声もある。

満洲移民、入植という加藤の信念はどこから生まれたのだろうか。これについてはよく知られたエピソードがあるので、それを紹介しよう。

加藤完治が山形県で農村教育にあたっていたある時、「私は先生の教えがよく分かりました。私は百姓をやって一生を終わりたいと思います。しかし、百姓の次男である私は百姓をやる土地がありません。先生、どうしたら良いでしょう」と涙を流して訴えた。加藤もこの話を聞いて共に涙を流したという。

このエピソードで分かるように「開拓」は貧しい農村の次三男に貧困からの解放という夢を与える新しい思想であった。それは満洲への夢、憧れとなって膨らんでゆく。

加藤はすでに山形新庄の萩野、朝鮮の新興里（シヌンニ）などの未墾地解放運動を進めており、自分の協力者を求めていた。帝国大学農学部で学ぶ優秀な学生が加藤を慕って集まってきた。

一九三三年三月三一日、大学の卒業式であったが、忠雄は欠席して日本国民高等学校に向かった。恋人の富樫史子（とがしふみこ）が上野駅まで見送りに来てくれた。農学部実科の卒業生は四〇名、そのうち六名が友部での実習を選択した。研修の内容として友部パン製造の主任などがあった。

一九三三年四月三日、加藤は自宅の畑の開墾に六名の大学生を呼び、開墾作業を終えた後、羽織袴に着替えて次のように言った。

諸君は自発的にこの学校に来てくれた。加藤は来るものは拒まず、去る者は追わず、しかし、加藤と生涯を共にしてくれるなら、諸君の人生は加藤が責任を持ちたい。そこで今日、諸君は加藤に将来を任せるかどうか、諸君の意見を聞かせてください。

それは命を懸けて自分の弟子になることを迫る気迫に満ちた言葉であった。忠雄は加藤に師事することを明言し、一九三四年、加藤の指示に従って移動先遣隊として渡満、「満洲国」奉天北大営の農協主任として勤務することになる。忠雄は「加藤完治派」「加藤の弟子」としてその存在を知られるようになる。

忠雄が加藤完治に惹かれていったことを告げる本がある。一九四一年に刊行された『荒野の父　加藤完治』（小山寛二著、大日本雄弁会講談社）である。これは加藤の人柄、その思想を熱く語ったもので、忠雄が自らの熱い思いを振り返って、メモを添えたり、傍線を引いたりした本が残されている。

本は白いカバーがかけられ「私の人生を闊歩させてくれた加藤完治先生の伝記　著者　小山寛二」「私の渡満出発点、移動先遣隊五〇名引率して（昭和九年三月）」「所長加藤完治と賓県農芸訓練所長堀と同一出発点」「堀の出発点」などという自伝的メモが記されている。本文にもいたるところ書き込みがなされ、たとえば一一四ページには「加藤完治の講演会が駒場東大林学教室であった。私は始めてこの日加藤を知り私の卒業論文に強く影響した」とある。ちなみに卒業論文のテーマは「封建時代の農家の在り方」というものであった。忠雄が農家における人間関係に深い関心を持ち堀家の人々を歴史的なまなざしで見つめ、理解しているのはこうした卒業論文を書いている頃から既に始まっていた。

史子との結婚生活

一九三一年（昭和六）七月三一日、林政太郎から「幾久子死亡」の電報が「駒場741番地」に下宿している忠雄のもとに届いた。その翌年、同じ酒田に住む富樫史子が一人、忠雄の下宿を訪れた。これまた、幾久子を紹介してくれた親友、林政太郎の手引きによるものだった。政太郎は二人の性格を知り抜いて傷心の忠雄の良き伴侶となると確信して送り込んだのだった。二人は亡き幾久子の写真に花を手向け様々なことを語り合った。同郷の二人が親しくなるのに時間はかからなかった。

時によると、忠雄と林政太郎、富樫史子はビクターのレコードを共に聞いて交流を深めた。レコードはシューベルトの「冬の旅」など、クラシックばかりであった。忠雄は一年生の寮生活でカタニヤのマンドリンを弾き、史子がコーラスのアルト役を務めることもあった。また尺八に親しむなど、音楽への関心も幅広く、新しい楽器を覚えるのにさほど時間はかからなかった。

母、鷹は忠雄が東根幾久子と結婚することには反対した。しかし、富樫史子との結婚については積極的に押し進めてくれた（後述）。その上、一九三五年一〇月、新婚の二人が満洲にわたる時は八〇〇円という高額（忠雄の兄の千代松は大学卒で月給四七円だったから月給一年半分である）のお金を結婚祝い金としてくれた。忠雄はその金で賓県農芸訓練所で使う剣道具二人分、木刀、それに尺八など買って送ってもらった。ところが、史子には寒さの厳しい満洲なのに、足袋一足も買ってやらなかった。史子に思いやりを欠いていたと晩年になって深く悔いている。

一九三五年一〇月一五日、二人は結婚した。結婚式は母、鷹の采配で本家の下座敷で行われた。花嫁は立派な衣装だったから村人に見せたいという声も出たが鷹は「忠雄はそういうことが嫌いだから」というので立ち消えになった。

忠雄はその頃、「満洲国」の賓県農芸訓練所長であったから、二人は史子の親戚廻りをしてから満洲に渡るべく一〇月一七日に酒田を出発、東京、伊勢神宮、明石を経て、神戸港から大連行きの船に乗船。大連港に到着したのは一〇月二五日、大連から満鉄の「あじあ号」に乗り、新京を経てハルピン（哈爾浜）に到着した。一一月三日、松花ホテルはすでに凍り付くような寒さであった。日本式の草履履きの史子は寒さに震えていたが、忠雄は母からもらった大金で防寒具を買ってやることもなかった。そうした気配り、配慮が欠けていたことを晩年になって、深く悔いている。

ハルピンからバスに乗り換えた。道は凸凹の泥道で動けなくなった。新婚間もない史子はその泥道を日本から持ってきた白足袋、草履で歩いた。天理村からはトラックで開拓地を見ながら走った。その辺りは関東軍が住民を追い出した所で、「共産匪（きょうさんひ）」の趙高志（ちょうこうし）が出没する危険な地域であった。阿城県（あじょうけん）を経てようやく賓県農芸訓練所に到着した。宿舎は馬小屋のような部屋にオンドルが据えられ、泥の壁はまだ乾ききっていなかった。便所は外で一五〇メートルも離れた所にあって便器としてカメ（甕）が置かれていた。

東京の文化生活になじんでいた史子にとって満洲の旅は余りにも「野蛮な」ものだった。しかし史子は忠雄に抗議したり、批判したりすることはなく、夫を信じ切っているように付いてきた。こうして満洲での暮らしが始まった。

忠雄の最晩年の回想によれば、史子は立派な女性であったが、それに比べその頃の自分は思いやりのない「利己主義者」であったと詫（わ）びている。新婚の花嫁だった史子をハルピンに残して賓県で生活したこと、東京の文化生活になじんでいた史子を馬小屋のような家に住まわせたこと、加藤完治の思想に「かぶれ」、開拓精神に燃えて妻を顧みなかったこと、「侵略者の手先になっていたのに気付かず、自分では偉いと思いあがって」暴力に近いまでに怒りつけたことなど、忠雄は様々に思い起して深く反省している。

一九三五年（昭和一〇）から始まった史子との夫婦の生活は、一九九八年（平成一〇）、六〇年余り、金婚過ぎまで続いて、外目には似合いの夫婦であったかもしれない。一九九八年一二月に書かれた「誓詞」と題する文章に次のようにある。

一九九九年には一切難しい態度をとらないで生活してみる難題に取り組んでみよう。出来るかな？

史子は私の生活に文句を言って逃げだしたことは昭和一〇年一〇月、結婚以来全くなかったが、あの態度を私が実行できるだろうか。

こうして忠雄は日記の中で妻、史子に苦労をかけたことを反省し、だから史子に優しく親切にしたいと誓うのだった。そのためでもあろうか、あれほど書くことに執着し、書き続けたのに、一切の執筆が途絶えた。二〇〇三年八月二九日、忠雄は九四歳で死去、妻史子は二〇一一年三月一九日、百歳という長寿を授かって死去した。

賓県農芸訓練所長

忠雄は一九三四年（昭和九）三月、加藤完治の命で、茨城の友部から「満洲国」奉天北大営農場主任となり移動先遣隊として渡満した。

翌、一九三五年三月末、浜江省（ひんこうしょう）ハルピン訓練所に転任、五月には賓県農芸訓練所の所長として迎えられ、その訓練所で「校長」と呼ばれて尊敬を集めた。二五歳の若さであった。以後、「満人」（当時、開拓民は満洲在留の中国人、朝鮮人などを一括してそう呼んだ）の子弟と寝食を共にすること二年半、中国語を覚え、中国人を身近な人々として交流出来るまでになった。中国人と変わらないと言われるほどの堪能な中国語の会話能力、「満人」についての深い理解はこの時に培（つちか）われたものだった。

そればかりではない。賓県農芸訓練所で忠雄は科目として「修身」を担当したが、満洲における日本人に有利な小作制度を批判した。封建社会における小作人制度の不合理に疑問を抱いていた忠雄は満洲でも五族協和、王道楽土と言いながら日本人が地主となって「満人」をいじめていると声を大にして叫んだ。そのため満洲の「大匪賊（ひぞく）」、「共産匪」と恐れられた趙高志の信頼を勝ち得た。趙高志は言った。「日本人は殺せ、但し、堀所長は殺すな」と。「匪賊」として恐れられていた趙高志の信頼を勝ち得たことは、今の言葉で言えば「国際交流」に自信をつけることとなった。忠雄は誇りをもって書いている、「他民族を同等人間として交際することは容易なことでない。私はその道の成功者である」と。

五福堂新潟村移民開拓団の団長

一九三七年（昭和一二）六月、ハルピン訓練所長からの要請で、移民団の団長の辞令が出たから出てこい、という命令であった。忠雄は妻、史子と満洲で生まれた長男、孝範（たかのり）を伴ってハルピンに出た。忠雄は拓務省嘱託として第六次北安省（ペイアンしょう）の五福堂（ごふくどう）新潟村移民開拓団の団長となった。「五福堂」は北満通北県（トンペイけん）にある地名で（最寄りの駅は通北駅）、そこに新潟県出身者が力を合わせて第二の「新潟村」を造ることを目標にした分村移民団の名称である。

忠雄はこの時から「農村教育者」でなく「村づくり担当者」となり開拓民七〇〇名のリーダーとして卓越した指導力を発揮した。

だが一九四一年一二月八日、大東亜戦争（太平洋戦争の日本側での当時の呼び方）が勃発、戦争初期は勝利を収めたものの、戦局はしだいに悪化していく。一九四五年八月九日、突如、ソ連軍が満洲に侵攻、開拓団は大混乱に陥った。実はアメリカ（ルーズベルト大統領）、イギリス（チャーチル首相）、ソ連（スターリン首相）の三国はヤルタ会談において、ソ連の参戦が支持されていた。

敗戦後、忠雄は北安県日本人居留民協会長となり、困難の多い生活環境の中で、日本人約七千人の生活維持に尽力した。

敗戦後の八、九月にかけて多くの開拓団が逃避行の果てに集団自決の道を選ぶという悲劇も起こっていた。しかし、忠雄は五福堂開拓団の団長として「断固生き抜くべし」の方針を掲げて開拓民を守り抜いた。中国語に堪能で、中国人に深い理解を持つ忠雄は「満人」の信頼を勝ち得るに充分であった。

ソ連軍の進攻をきっかけに「満人」まで開拓団の人々を攻撃し、略奪した。しかし五福堂開拓団の開拓民には親切だった。

ちなみに開拓団を去る時、現地人に見送りされたのは畑野喜一郎団長とその一行だけだった。この開拓団は満洲在住農民（満人）の小作人となり、小作料も支払っていたという。五福堂も未墾地を開拓したが小作料など全く取らなかった。また終戦直後、開拓団を放棄する時には、「日本馬、役牛、五百頭以上を全部、無償でやるから、仲良く分けて下さい」と現地人に言った。彼らはそれをさも嬉しそうに聞いてくれた。開拓団を去る時、通北駅まで李委員長が見送りに来てくれて「私達は日本人の開拓より早く、開拓します。一〇年後にまた来てください、全部、耕地にしておきますから」と言って笑って別れた。

五福堂開拓団は現地慰留の願いもあったが断って昭和二一年九月三日、出発した。九月七日通北駅を出発し、ハルピン、第二松花江、新京（現・長春）を経て、葫蘆島に着いた。海上生活が一週間ほど続いた後、博多港で下船、列車で故郷の酒田に向かった。

我が家への生還

忠雄にとって何といっても忘れ難いのは一九四六年（昭和二一）、満洲から引き揚げて無事、酒田の我が家に生還したその日のことである。忠雄は三七歳、妻の史子は三五歳、孝範（小学校三年）、正昭（未就学）、範子（未就学）の合わせて一家五人の帰省だった。

「タダイマア、満洲から帰ってきました」

母の鷹はびっくりして尋ねた「タダオは？」

母は忠雄が開拓団の団長だから殺されるに違いないと思い込んでいた。それが目の前に家族五人で姿を現したのだから驚くのも無理はなかった。

その夜は忠雄も史子もそして子供達も皆、風呂に入った。入浴後、史子が「おばあちゃん、腰巻を貸して下さいませんか」と頼んだ。引き揚げの九月上旬から一〇月末まで二か月間、風呂にも入らず、洗濯もできない裸一貫の帰国だった。史子の願いを聞いて、鷹は思わず涙ぐんだ。

忠雄は酒田に帰郷した日の翌日、新潟県庁に行き佐藤辰雄民生部長に言った。

「新潟県人開拓者の婦人、子供、約五〇〇人、満洲から連れて帰国しました。私の責任は今日、只今をもって終わったことにして下さい。後は県で面倒を見て下さい」

夫を召集され草原に残された開拓団の子女を命懸けで守りぬいた忠雄の任務はこうして果たされた。鷹はこの時八一歳、その翌年、一九四七年に死去している。その死の時、母は酒田に来てくれと忠雄を引き留めた。だが忠雄はそれを振り切って兄の千代松の住む盛岡に暮らす道を選んだ。薄情な子であったと忠雄は晩年になっても悔いずにはおられなかった。

杉の古木

一九四六年（昭和二一）、米軍の指示で農地改革が行われた。地主は一町歩（ちょうぶ）の土地所有を認められたが、それ以外の小作田は小作人の所有となった。堀家は小作人に貸していた田畑を失って一介の農民となった。

忠雄は堀家の先祖伝来の六本の杉の大木を売却し、その金で役馬を買って育て、堆肥の原料を集め、堆肥約一〇貫を作り馬力で三町歩に配分した。杉の伐採は堀家の水田経営の資金として考えたのだが、二七〇年の年輪を刻む大木は単なる「商品」でなく堀家のかつての力、繁栄を語るかけがえのない「宝物」だった。

それにもかかわらず売却したのは、東京帝国大学農学部実科で学んだ忠雄としては、「自作勤労」がこれからの時代にあっては正しいと考えたからである。

しかし、先祖伝来の大切な杉を伐採したことについては、親族から「忠雄のバカ野郎」という厳しい批判も受けた。大木の伐採はいかにも正しい行為のように見えて実は最悪だったのではないか、と忠雄も悩んだ。

堀家の六本の杉の大木の伐採は、敗戦日本の農村を新しい姿に切り替える「争議」だった。これまでの「地主」対「小作人」の制度を土台にして営まれてきた封建的農業からの解放を象徴するものだった。

戦後の生活と活動

一九四七年（昭和二二）四月一日、忠雄の第二の人生が始まった。岩手県庁開拓課の嘱託として勤務を始めたのである。実兄の千代松が岩手県の県庁職員となっていたことから、志願したのである。戦前、満洲開拓に生きた忠雄が戦後も、公務員として開拓に生きる道を選ぶのはごく自然なことだった。だが、どういうわけか千代松の月給は一二〇〇円なのに忠雄の月給は四二〇円だった（恐らく嘱託であったためと思われる）。戦後の不況、物資や食糧の不足の中でまず住む家を見つけなければならない。開運橋の近くの四階建てアパートに暮らした。衣類も不足したが開拓課宛に届けられた古着の配給を受けてしのいだ。その衣類を一括して農家の人に売った。その金が全部で五千円になった。妻の史子はその金で開運橋地下の店舗を借り佐藤茶屋、鈴木魚屋の指導を受けて小売り店を始めた。

一九四八年、米軍のバッシ大尉の命令で観武原（みたけがはら）の開拓をしても良い、という許可が出た。小型戦車の古品で現在の運動公園の辺りを開墾した。大豆の種を購入して育てた。開墾して作物を作れば開拓地はその人の所有になった。こうして観武原開拓の運営は県開拓課の忠雄が中心となって進められた。

同年、岩手開拓初代会長、八重樫次郎蔵会長と専務、木村直雄副会長が訪れ、北海道からボトク（オスの子牛）三千頭を導入したいという要請があり、牛の飼い方の指導できる人を入植させるという条件でこれを進めた。岩手における育牛の始まりである。

一九五九年六月から八月にかけて六〇日余りアメリカの各地を訪れ農業を視察した。そのために寄付金を集めた。帰国して「すっかりアメリカ側の人間になった」と手帳に書いている胸の内はどのようなものだったろうか。

同年一一月、川村開拓課長の助力で忠雄の身分を開拓連に移籍し、正式に岩手県の職員（官吏）の身分となった。

一九六一年湯田二郎の働きで農協中央会営農部長に就任したが、一九六五年五五歳で定年退職、続いて酪農会議事務局に勤めたが仕事は全くなかった。幸いにして一九七二年から向中野学園（現在の盛岡スコーレ高等学校）の講師、岩手大学の講師となった。

みたけ農協の勤務が終わり御所湖建設（御所村にダムを造る事業）の相談役となった。週一回、金曜日だけは相談室を休業にして県庁に顔を出すことになっていた。月給四万円、バス賃として一か月で一万円、手取り五万円ということだったが、全国農協共済から年金、約一二万円が手に入ったから生活費は史子の小売りで食べることだけは出来ていた。この一二万円はほとんど開拓団誌編集の通信費となって消えた。忠雄は元開拓民と交流し、満洲の記録を記すことを自らの使命としてそのための犠牲を惜しまなかった。満洲開拓は生涯のテーマだったのである。

忠雄の著作

忠雄は歴史や文学に関心をもち、数多くの記録、詩やエッセイ、論文、小説めいた作品を書いている。書かずにはいられなかった性分とも思われる。というより、満洲体験の重さが忠雄を「書く人」にした、というべきかもしれない。

一九七〇年（昭和四五）、岩手県の雫石町（しずくいしちょう）に「開拓公苑」の用地を買収、一九七三年、「拓魂」の石碑が、一九七四年九月にはそこに「満洲開拓殉難者慰霊塔」が建立された。慰霊塔が建立されると同時に『満洲開拓追憶記』が発刊された。これは満洲開拓団の人々にその体験を書いてもらった文集であるが、二〇〇一年（平成一三）、第二八集に至るまで毎年刊行された。忠雄の指導によって成しとげられたもので、忠雄自身も毎号、貴重な原稿を寄せている。この編集によって開拓民の満洲体験が記録され後世に残された意義は大きい。忠雄の著作活動として第一に挙げられるべきものとして、この『満洲開拓追憶記』の編集とそこに載せられた論文、記録がある（およそ三〇点を数える論文名はここでは省略）。

一方で忠雄は「永遠の文学青年」ともいうべく、女性を恋し、家族や青年男女を愛する心を失わなかった。作品には正義感と熱い感動がにじんでいる。

詩集（自伝的エッセイを含む）として、生涯に大きな影響を与えた女性をテーマとする『幾久子抄』（一九九八年〈平成一〇〉）、『私と史子』（一九九八年）という二冊（手帳）がある。『探夜抄（たんや）』（一九七五年〈昭和五〇〉原本のみ）は満洲体験の思い出、特に女性、また性を論じた詩文集である。

開拓団の団長としての理想や喜びや悲しみ、信念、個人的な思いを綴（つづ）ったものとして『五福堂開拓団十年記』がある。これは全編、忠雄自身の達筆な手書きで書かれ、妻・史子の着物をカバーとして作られたただ一冊の立派な「本」である（本書第二部に翻刻）。

編著『榾火（ほだび）』（一九七七年、続編・一九八一年、同刊行会）は五福堂開拓団の建設とその後に起きた敗戦、抑留、引き揚げなどの実録で、時に明るいユーモアを交えて書かれた開拓民の「人物誌」である。

『山の上の神々』（一九七九年、元満洲開拓民であった鈴木文男との共著、あづま書房）は岩手県全体を対象として戦後開拓に生きた人々と開拓地を紹介した作品である。県庁の開拓課に勤務し、開拓者とも幅広い交流をもった忠雄にしか書けない貴重な記録である。

『小島正雄学兄の最後』（一九七五年、原本のみ）は忠雄の大学の先輩で、満洲にあって副県長の職にあった小嶋正雄が八路軍（共産軍）の人民裁判によって銃殺刑となった悲劇をその愛児たちに知ってもらいたいと願って書かれたものである。

『誰も知らない私のアルバム』（上下二冊。一九六四年、原本のみ）は「北安獄舎」「八路軍への反感」などのテーマで、余人の知りえぬ開拓団末路の出来事を記した記録。

自身の生涯を整理、紹介した記録として『堀忠雄の個人的家庭生活の人生記』（原本のみ）がある。「発表するものではありません」とラベルに書かれているがやがては読まれることを期待（予想）していると思われる。個人的な愛憎、プライバシーにも触れた赤裸々な記録である。

ここに紹介した作品は岩手県滝沢市砂込（たきざわしすなごみ）の慰霊塔敷地内の小屋に段ボールの箱、一三箱にラベルで表示されて保存されていた。忠雄の在世中、雫石町の開拓公苑、滝沢村の慰霊塔などで慰霊祭を行ってきたがその時、使った道具などと一緒になっていた。それを筆者が解読、紹介するために手許に保管し活用させていただいている。

堀忠雄の作品は長い間、慰霊塔の傍らの小屋に眠ったままだった。筆者は仲間と共に市民の学習グループ「21世紀　日中東北の会」を立ち上げ（二〇〇八年三月）数人の方から満洲体験をお聞かせいただいたことが縁となって堀忠雄の作品、貴重な資料を発見するに至った。それはまさに眠っていた宝を掘りあてたような気持ちであった。だが、冷静に考えてみれば、それは満洲開拓に人々がいかに無関心であったか、無関心であるかを示しているとも言えよう。

拓魂の生涯

堀の生涯は満洲開拓から戦後開拓へ、開拓一筋に、辛くも生き延びた劇的な生涯であった。振り返ってみれば、満洲開拓は「骨折り損のくたびれもうけ」で「徒労」とも見える。だが満洲開拓者たちが戦後開拓の担い手となって開拓を成功させた事実を思う時、決して単なる徒労ではなかった、と忠雄は思う。忠雄は開拓民を侵略者だとする批判の声に抗って叫んだ。次の一文は八九歳で書かれた思索メモである。

日本帝国が立派な表現で満洲国を創設したのに、軍部の侵略的国政を強用したために、純真な移民者たちは昭和年代を涙で過ごした――このことは日本の歴史の最大の反省事項である。

第二部

『五福堂開拓団十年記』を読む

一九三七年（昭和一二）六月に、新潟県派遣五福堂開拓団の先遣隊が龍江省通北県に到着。未墾地での村づくりが始まる。第二部では、「歌う村を創ろう」という堀の理想のもと、さまざまな困難に見舞われながらも開拓を進める堀たちの姿を一九四二年まで記録した『五福堂開拓団十年記』を翻刻・紹介する。

妻・史子の着物の裂を使用した表紙

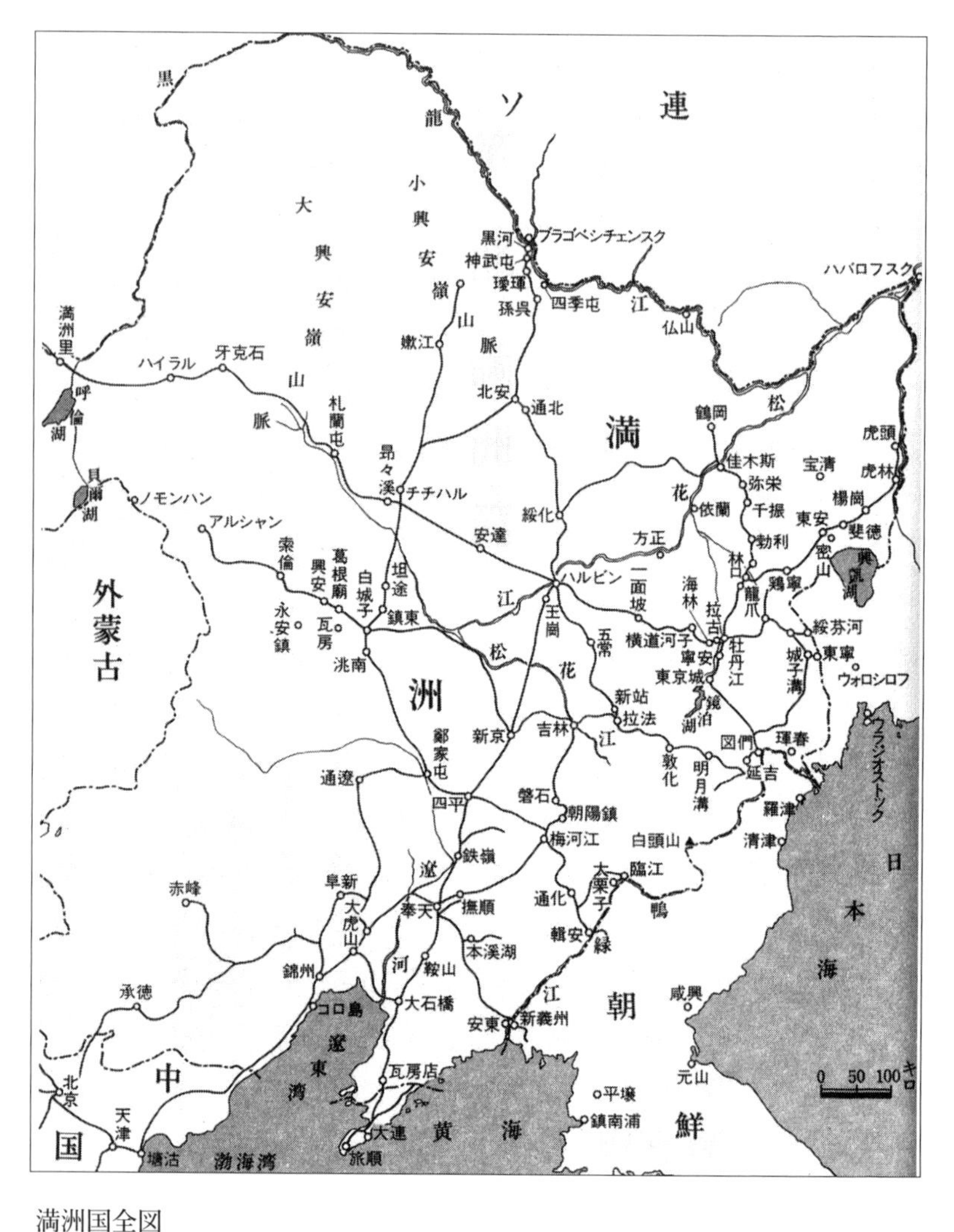

満洲国全図
（出典：引揚体験集編集委員会編『生きて祖国へ１　流亡の民』国書刊行会、1981）

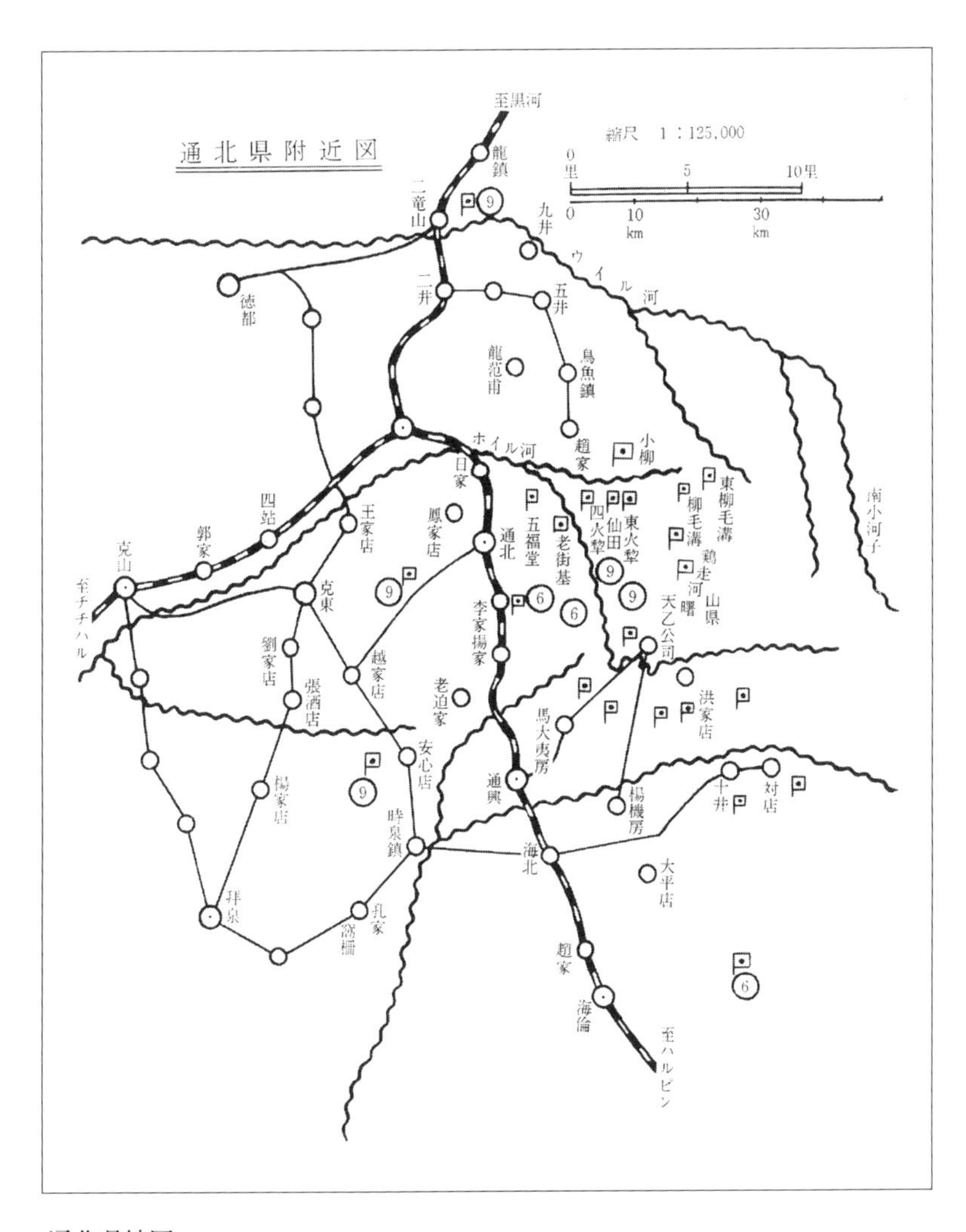
通北県附近図
縮尺 1：125,000
至黒河
龍鎮
二竜山
九井
ウイル河
二井
五井
徳都
龍菍甫
鳥魚鎮
趙家
小柳
ホイル河
日家
東柳毛溝
柳毛溝
南小河子
四站
郭家
王家店
鳳家店
五福堂
老街基
四火犂
仙田
東火犂
鶏走河
克山
通北
曙
山県
至チチハル
克東
李家揚家
天乙公司
劉家店
越家店
張酒店
老迫家
馬大夷房
洪家店
安心店
通興
楊家店
十井
対店
楊機房
時泉鎮
海北
大平店
拝泉
孔家
窩棚
趙家
海倫
至ハルピン

通北県地図
（出典：『梢火』）

拓務省第六次

五福堂開拓団十年記（巻一）

元団長　堀　忠雄

目次（＊〔〕は本文中の章題）

緒言

私は昭和六年〔一九三一年〕の春、東京帝国大学農学部の林学教室において、那須皓*教授の紹介によって開幕された加藤完治*の講演を熱心にきいていた。教授達の顔付にない、長いひげと皎々と輝く眼光に私は魅せられた。七月の初旬、夏季休暇を利用して、茨城県友部日本国民高等学校*を訪ね、加藤完治の人間に触れる目的で一週間ここで過した。

農学と農業・農民・農村青年とが〔を〕、ピッタリ結合させる理論を、加藤完治の顔を視ていて、漸やく私の納得ゆくものを発見した。駒場〔農学部のあった駒場キャンパス〕に帰って、私の重要課題となっていた競技（ハイハードル）〔陸上競技。一一〇メートルハードル〕の練習を続け、農場実習をも兼ねていたから、帰省せず、私一人で生活していた。

駒場七四一番地には、「田村つね」の貸家があり、四丈半(ママ)二室の小さい家の中で、笹原から吹いて来る夕風と共にギターを爪弾いていたのである。

七月三十一日、〔秋田県〕酒田新片町、一人娘・東根幾久子が死亡した。林政太郎がデンポーをくれた。悲しみの数日が続いた。耐えられなくなって、直ぐ新学期が始ま〔る〕のであったが、私は酒田に帰った。家に行かずに、幾久子の死を追っかけた。幾久子の母はぼんやり店の前に立っていた。招かれて家に入ると、大きい額には、黒枠がかけられていた。

私の農業に関する観念は、この二つの事件で、別のものが心の中に芽生えていた。

しかし、昭和八年〔一九三三年〕三月、駒場から、卒業式にも出ないで加藤完治の弟子入りを私が決心したのであったが、未だ私は満洲開拓をやろうとは考えていなかった。

唯、新しい人生を発見した歓こびに満ちていた。

史子は、この私の精神状態の時代に私が捉えた女である。明らかに私の精神状態は、私の理念が先きで女が先きではなかった。

しかし、私は女を軽んずるのではない。女が無ければ、男は偉大なものを発見することが出来ない。私の云う偉大なものとは、農村に根ざす生活と創造を指している。

五福堂開拓団は、私の理念と統率力によって、模範開拓団を創設する軌道をひいた。又、史子の、何んとも云えない人のよさが、北満の草原に住む人達の生活の中に、真実の姿を以って

---

* **那須皓**　一八八八（明治二一）～一九八四（昭和五九）。農業学者（農業経済学）。東京帝国大学農科大学卒。東京帝国大学教授。満洲農業移民を推進。戦後に駐インド大使、駐ネパール大使。
* **加藤完治**　一八八四（明治一七）～一九六七（昭和四二）。教育家、農本主義者。東京帝国大学農科大学卒。内務省勤務などを経て、日本国民高等学校長。満洲農業移民の指導者。満蒙開拓青年義勇隊訓練所を創設。
* **茨城県友部日本国民高等学校**　デンマークの国民学校フォルケフォイスコーレ（生のための学校）をモデルに、農村中堅人物養成のために、加藤完治らが茨城県友部町（現在の笠間市の一地区）に創設した私立学校。一九二五年（大正一四）、社団法人日本国民高等学校協会設立。一九二七年（昭和二）、日本国民高等学校開校。現在の公益社団法人日本国民高等学校協会 専修学校日本農業実践学園。

彩った。

私は開拓団員を私の人生観と人間性を以って、みな同じ者達ばかりだと考えこんで接して来た。私は極めて平凡な人間で、その平凡の中に真価を認めていたからである。五福堂開拓団には真の偉人も居なければ、悪人もいなかつた。平凡な人間が重なり合っていた。時には化合した。或いは光の合成もされた様に、別のものが輝いた。

若い農村婦人は開拓団に来て急に開放的になった。史子は、その中にいて、主役を演じた。人の良いことは底抜けだったが、反面、古い慣習に捉らわれず、前進することには、極めて「我」が強い。だから、相互の生活を史子のペースにひき入れて行った。それで誰からも憎まれず、親しまれて来た。

これが五福堂開拓団の団長である私の本当の姿だと、敢えて言っておく。

昭和四十四年（一九六九年）六月十五日　記

「次巻」から、満洲開拓団受難の兆候編になる。

この本の表紙は史子の着物を使用した。

〔加藤完治肖像〕

五福堂新潟村歌*

松村義人*・作詞・作曲

〈家族招致期〉作詞家の松村義人が日満文化協会から五福堂開拓団に派遣され、「五福堂新潟村歌」を作る。その歌が象徴するような「唄う村民」「歌う村」という堀忠雄の理想が実現しつつあることを述べ、『五福堂開拓団十年記』の序章とする。

腕をふるうっ(ママ)て打ち込む鍬に
伸びる祖国の力がこもる
朝の朝露　夕の夜露
星をいただき月影ふんで
匂う　大地を耕やせ　拓らけ。

＊**五福堂新潟村歌**　松村義人作詞・作曲。林田聖洲の独唱、報国管弦楽団の伴奏で、「日本録音通信社」からレコード（一〇インチ）が出された。松村は「五福堂新潟村歌」と「五福堂音頭」の踊りの振り付けも団員に指導した（『楕火』一頁、一二一頁）。

＊**松村義人**　作詞家。新潟県出身で、「五福堂新潟村歌」「五福堂音頭」の他、「北魚沼小出音頭」を作詞・作曲（『楕火』一二一頁）。松村は「高尾音頭」（一九三一年、ビクター発売）、「四万の湯煙り」（一九三三年、キングレコード発売）、「石巻音頭」などの新民謡の作詞を得意とした。

腕をふるうって（ママ）草刈る鎌に
伸びる祖国の光がこもる
大和桜（やまとざくら）に　あの撫子（なでしこ）に
蘭（らん）の花咲く大満洲の
広い　沃土（よくど）を耕やせ　拓らけ。

手綱（たづな）とる手に　拓士の肩に
伸びる　皇国（みくに）の興廃かけて
雪の新潟故郷（こきょう）をあとに
神　に誓って国策線に
躍る　我等の使命は重い。

腕をふるうって（ママ）　命をかけて
伸ばせ我家を部落を　村を
村の栄えは　皇国（みくに）の繁（さか）え
五族協和*の満洲の栄え
永久（とわ）に　繁栄（さか）えよ　我（わが）、五福堂。

永久に栄えよ我五福堂‥‥。

唄う村民にしよう。歌う村を創ろう。踊る拓士と共に人生の歓喜を配(わか)ち合う。その中から新しい歴史を軌(か)き続けてゆきたい。

私はこの夢を抱き続けていた。

日満文化協会*文芸部長松村義人が五福堂に訪ね来て、村歌を作詞作曲してくれた。松村義人も同郷新潟であり、なつかしい故里の思い出の持主であった。本部宿泊所に泊り、松村義人は私と深夜ま〔で〕話しこんだ。

日満文化協会の会長松井七夫(まついななお)中将*（松井石根(まついいわね)大将*の実弟）が昭和十三年〔一九三八年〕の春*、揚(ヤン)生屯(シュントン)に仮校舎を開設した時、五福堂に来訪され、私の家に一泊された。

---

* **五族協和**　「満洲国」の建国理念を示した標語。漢族・満洲族・蒙古族・朝鮮族・日本人の調和を謳った。
* **日満文化協会**　一九三三年（昭和八）に、東方文化の保存と振興のため、日本・「満洲国」の学者・官僚らが集い創設された機関。日本側が「日満文化協会」、「満洲国」側が「満日文化協会」の名称。熱河宮殿の修復、奉天博物館の開館、『大清歴朝実録』の出版などの文化事業を行った（岡村敬二『日満文化協会の歴史―草創期を中心に』〈岡村敬二、二〇〇六〉による）。
* **松井七夫**　一八八〇（明治一三）～一九四三（昭和一八）。大日本帝国陸軍軍人。関東軍高級参謀、奉天特務機関部機関長などを歴任。東北の「軍閥」・張作霖(ちょうさくりん) Zhag Zuolin の軍事顧問も務めた。最終階級は陸軍中将。

小野元吉・岸田雄三郎指導員も松井閣下に揮毫してもらった。

松井閣下は「堀団長のものは明朝揮毫しておく」と言い六丈(ママ)間にねてしまった。

宿泊所には島倉の世話で、五福堂最初の女性訪問者である家の光協会*の桜井記者が一人占めした。朝、私が起床し、閣下にお茶をさしあげた。一ぷくの揮毫を呉れた。

至　誠　通　天　地

と白紙に躍動していた。私はこの一語によって、五福堂開拓団に於ける総ての行を律した。松井閣下の実兄、松井大将が南京事件*の責任者として絞首刑にされた朝、私は身内が死んだ悲しみと同じ悲歎にくれたのも、松井七夫中将の心にひかれていたからであった。

松井閣下は、斯ういう事情から、詩人松村義人を派遣してくれたのである。

松村義人は朝早く起きて五福堂新潟神社（弥彦神社とも云った）に鎌を手にして出かけ、詩人は手に豆して草を刈り、大草原を埋めつくして咲きほこっている姫甘草の黄色の花弁の中に坐って、村歌を作詞作曲してくれた。

「二長調、四分の四拍子」で心豊かに、神の前に誓って恥じない名詩であった。松村義人のこの晴れやかにして澄みわたる心が、五福堂新潟村の村歌になった。

何日か経て私が出張から帰団したら、松村義人は微笑を浮かべて私を出迎えてくれ、五線紙に書いた村歌と、五福堂新潟村音頭を示してくれた。

私は松村義人が作詞作曲するまで、好きなレコードも、妻にきつく云いつけて聴かないことにしていた。少くとも世界の名曲より（を）、きき劣りする私の耳にしておくことは情に於て、忍びないから、私はメロデーの飢餓線に立つように努力していた。私の願を完全に満たしてくれた松村義人を見て、私は小躍りして喜こんだ。

直ちに事務室で、先生に発表してもらった。

事務室には、野崎由太郎、阿部徳二（会計）、大原佐五郎（庶務）、高野次郎、小林平作（購買）清野金次郎、渡辺三郎（建設）、柳正（販売）、塩田誠（測量）、島倉庚市、平石諒太郎、磯部一泉（加工）、鈴木礼司、森山信吉（郵便局）、井上秀（警備）、村山秀義、小林清作、渡辺茂夫、星野忠雄等が足拍子をとりながら、歌の練習をしていた。

＊ **松井石根**　一九七八（明治一一）〜一九四八（昭和二三）。大日本帝国陸軍軍人。一九三七年、日中戦争の勃発により予備役から復帰。中支那方面軍司令官として南京を攻略。敗戦後、極東国際軍事裁判で、南京虐殺の責により、A級戦犯として訴追され死刑。最終階級は陸軍大将。

＊ **昭和十三年（一九三八年）の春**　『梢火』二〇〜二二頁によれば、松井七夫の五福堂開拓団来訪は、一九三九年（昭和一四）で、「漸く部落経営に移行した頃」（部落配置の発表は一九四二・二・一一）。『五福堂開拓団十年記』執筆時点で、堀は松井の来訪と松村による村歌の作詞作曲を、家族招致が行われた頃と記憶していたのであろう。小学校の仮校舎開設は、家族招致計画に基づくものであった（『梢火』九一頁）。

＊ **家の光協会**　一九二五年（大正一四）五月に、産業組合が、産業組合法公布二五周年記念事業として雑誌「家の光」を創刊。一九四八年（昭和二三）に社団法人家の光協会と改称。

＊ **南京事件**　一九三七年（昭和一二）一二月、中支那方面軍が、南京攻略戦で南京占領後に起こした中国軍捕虜・敗残兵と中国市民を虐殺した事件。

渡辺三郎は器用な男で、彼に「佐渡おけさ」を唄わせれば玉を転がる〔す〕ように、節まわしが良いセンスを持っていた。渡辺は「音頭の方が良い(イ)ネェや」と肩を崩して喜こんだ。

雪のふるさと　あの新潟の
人情深さに　この満洲を
花を咲かせて　実(みの)らせましょうよ。

せまい内地に　夢にもないが
畑ひろびろ　一うね一里
ほんにのびのび　暮しましょうよ。

何が寒かろ　雪国(ゆきぐに)育(そ)だち
ペチカ温突(オンドル)　こたつもかけて
橇(そり)で行きましょう　飛ばせましょうよ。

お国自慢の新潟美人
おけさ　三階節(さんがいぶし)　あの盆踊り
さあさ　輪になれ　踊りましょうよ。

年が経るにつれて五福堂開拓団も落ちつき、妙高部落にも盆踊りが立った。北満の八月は夜ともなれば肌寒むく躍り狂っても汗をかく様なことはなく、月は、ただ皎々(こうこう)として輝いていた。高柳部落も小国(おぐに)部落も広い道路の岐(わか)れ道で輪をなして躍っていた。

戦するなら謙信(けんしん)公のように
　ソレ謙信公のように
敵も情けに　泣くような
　ソウダ、そだそだ
その意気だ　その意気だ……

と渡辺三郎の音頭で唄い、開拓の歓(よろ)こびを妙高部落の全員が讃(たた)えた。

春日(かすが)　山上松吹く風は　ソレ松吹く風は
今も伝ふる義の叫び
ソウダ　そだそだその意気だ、その心意気

踊り疲れて、部落神社の前に腰をおろした。誰が書いたか、すらすらと流した提燈(ちょうちん)の画は、極楽世界の仏達(ほとけたち)が悠々と歩み交(か)う池のほとりの画であった。

西瓜(すいか)を運んで来て、莚(むしろ)の上に大きな切身を無雑作に転がした。内地のお盆なら残暑がはげしい筈(はず)なのに、ここは冷々(ひえびえ)として、西瓜も十分熟れていな〔か〕った。

神社の幕は紫色の美しさをたたえ、日光に照らされて神妙な色彩を残していた。

私と岩田豊稔和尚、吉原儀市畜産指導員と高柳の盆踊りをのぞきに行った。妙高部落を出て、神社前に到る広い道路の両側は、既に夜露がびっしょり降りていて、月見草は今ぞ盛りと咲いていた。

五福堂新潟村は、斯(か)くも生長していた。

高柳部落の踊りは、中村徳一郎も、ホッカムリして盆踊りの中に加わっていた。高橋米市のカン高い声で唄が流れていた。中西永吉のオバーサンや、高橋武雄のオバーサンも踊っていた。私は涙の出るほど嬉しかった。

今日まで開拓者達は大草原を大鎌で征服し、玉露のような芳香の乾草づくりをして来た。そして一面、牛や馬の越冬飼料を整え、計画通りの仕事を成し遂げたのである。

その歓(よろ)こびを、老婆達も無遠慮に踊りの中に躍動させていたのであった。人生の尊さ……苦悩征服の喜こび、明日への希望と勇気が溢(あふ)れていた。

望郷に泣いた青年男女は既に立派な開拓農家の主人となり、主婦となり、ここには一抹の封建性も無く、自由の天地が展開していた。

若者よ、踊ってくれ、苦悩を吹きとばせてくれ、五福堂を永く栄えてゆく日本人開拓村に育てあげてゆく人々の豊かな心が、斯(こ)うして一歩一歩培(つち)かわれてゆくようにと、私は祈りながら、踊りの輪の中からはずれて、深夜の月明りをあびながら、本部に向って歩いた。

〔五福堂新潟村の幹部〕（*編者がタイトルを補った）

拓務省第六次五福堂新潟村移民団長　堀　忠　雄

　昭和八年（一九三三年）、東京帝国大学農学部農学実科卒業
　昭和九年（一九三四年）三月、奉天北大営日本国民高等学校職員*
　昭和十年（一九三五年）三月、ハルピン王兆屯に同校移転

在校奉職中訓練した者
　饒河少年隊*（〔宮城県〕南郷村出身者）

三重拓植訓練生
東本願寺布教師
第三次瑞穂移民団先遣隊
第四次哈達河移民団先遣隊
第四次城子河移民団先遣隊
第五次（三ヶ団）先遣隊の一部

昭和十年（一九三五年）五月、賓県農芸訓練所長
昭和十二年（一九三七年）七月、第六次移民団長となり通北に赴任
終戦後昭和二十一年（一九四六年）十一月、五福堂団員と共に引揚

同、農事指導員　小　野　元　吉

昭和十一年（一九三六年）、満洲移民団指導員に採用され、新潟県立加茂農林学校補習学校教師を辞任

昭和十年（一九三五年）六月十九日、第二次千振移民団に於て訓練されていた先遣隊を引率して、北満最北端地に入植

昭和十六年（一九四一年）、肺結核のため帰国、長期療養したが、昭和十八年死亡*。柳正外数人病床を見舞

小野元吉死亡後、妻マツ、未亡人となり遺骨と伴に五福堂に帰団。終戦後、五福堂団員と共に引揚

同、陸軍騎兵准尉、警備指導員　岸　田　雄　三　郎

（北海道）旭川出身、職業軍人、川原侃将軍*指揮の下に熱河作戦*に出陣。退役して開拓指導員となり、小野元吉と共に、五福堂一番乗りをした。

＊　**奉天北大営日本国民高等学校**　一九三二年（昭和七）四月に加藤完治が奉天郊外の北大営の旧兵舎と土地を借りて設立した日本国民高等学校分校。野々山彦鎰が初代分校長。野々山の着任まで、宗光彦が責任者（宇野豪「近代日本における国民高等学校運動の系譜㈥　Ⅳ加藤完治（下）―国民高等学校運動から満洲移民運動へ―」〈「広島修大論集」第41巻第1号、二〇〇〇・九〉による）。

＊　**饒河少年隊**　一九三四年（昭和九）、ソ連領に近い吉林省饒河地方の「討伐」を行った西山勘二が東宮鉄男に意見具申して組織された少年移民。加藤完治らが少年を推薦。その寮を北進寮と言う。一九三九年に青少年義勇軍訓練所の一つに改変された（『満洲開拓史』一三八～一四一頁による）。

＊　**昭和十八年死亡**　『梢火』四四頁によれば、小野元吉は一九四四年（昭和一九）一二月一二日に死去。一九四四年であれば、本書一七六頁の「小野元吉が帰国して丸三年」という記事と符合する。

昭和十三年〔一九三八年〕二月、先遣隊より指導員排斥事件に遭う。

昭和十五年〔一九四〇年〕、第九次上学田青森移民団長に転出

第六次、五福堂、老街基開拓団兼任、畜産指導員　佐　々　木　賢

昭和十一年〔一九三六年〕、東京帝国大学卒業、直ちに開拓指導員となる。同窓先輩吉崎千秋（後、第二次千振開拓団長）の推薦によったものである。

第六次五福堂移民団医師　山　川　玄　洋

愛媛県宇和島出身、先生の妻は産婆、長男は薬剤師、娘は五福堂小学校開設当時代用教員。僅（わず）か満二年経て、退任した。

団長堀忠雄（月俸百三十円）、農事指導員小野元吉（月俸百十五円）、警備指導員岸田雄三郎（月俸百〇（ママ）五円）、

畜産指導員佐々木賢（月俸百〇（ママ）五円）、医師山川玄洋（月俸三百円）

五福堂新潟村移民団、尋常高等小学校々長窪田清基（日本大使館辞令）

一、医師山川玄洋は短気な老医師であり、五福堂を退任し、帰国後、中々正式医師が無く、数年無医村、不安の生活を続けた。

一、新潟県中蒲原郡五泉村（なかかんばらぐんごせんむら）出身、渡辺一夫、保険指導員として本国に赴任

一、岡山県出身、畜産指導員として吉原儀市赴任

一、小学校教師として岩手県出身、八重樫久次郎、龍江省秦来（りゅうこうしょうしんらい）より転勤、五福堂小学校に着任

一、渡辺茂夫の妻マチ子、小学校の教員に正式採用された。

一、小学校長は石名坂清一、川島武夫と交替した。

一、小学校教員、岩崎厚已、高尾敏一が着任、亦(また)離任転勤した。

五福堂開拓団に西本願寺、五福寺を岩田豊稔、開設

京都大谷大学卒業

乞食修行を経て、北海道女満別西本願寺住職を経て着任

西本願寺より三十五円、移民団で三十五円補充支給した。

昭和十三年（一九三八年）一月、建設技術者不足から第一次本隊の入植を要請、五十人入植

昭和十三年三月、中村長一郎を隊長として本隊の入植完了

五福堂移民団は二百戸入植計画であったが、入植した者は二百十二戸であった。

＊**川原侃**　一八七八（明治一一）～一九五三（昭和二八）。一九三二年、歩兵第一六旅団長として満洲事変に出動。熱河作戦に参加。一九三五年、予備役編入。最終階級は陸軍少将。その後、満洲国立開拓指導訓練所・基幹開拓農民訓練所長。

＊**熱河作戦**　一九三三年（昭和八）に行われた、大日本帝国陸軍による熱河省、河北省への軍事侵攻。

先遣隊員

〈先遣隊期〉一九三七年（昭和一二）六月に新潟県から入植した先遣隊員四二名を紹介し、その人々が堀忠雄の人生と切り離せないことを言う。

昭和十二年（一九三七年）六月十九日、小野元吉農事指導員を統領として、陸軍騎兵准尉（じゅんい）岸田雄三郎と先遣隊員四十二名は、第二次千振（ちぶり）移民団における訓練が〔を〕終えて、通北（トンペイ）駅に到着した日である。私はそれから約二十数日後、団長としてこの地に入植した。「草分け」の男達は、永遠なる五福堂先遣隊員である。アメリカ開拓者が、大西洋を航海してプリマウスに上陸したのと同価値の男達だ。

私が赴任した時、最初に会ったのは、小野元吉と、小銃を持っている渡辺茂夫と、あと一人誰だったか思い出さないが、四人で騎馬兵の様に張広衆（ジャンガンジー）の部落を経て、五徳堂（ウドアンタン）に行った様に思う。

長沼忠治の号令で、私が一隊に答礼し、本部に入ったことが私の団長就任だった。

岸田雄三郎警備指導員から〔の〕団員の紹介は、色々の形で私の脳裡にたたきこまれた。

何んと言っても「先遣隊長、ドジョー鬚（ひげ）の長沼忠治」が、最初にユーモアな名詞として私の耳に入った。

それから、色々の形態の人間像が、一人一人私の親愛な男達として私の仲間になり、先遣隊員は全部、私と生死を共にする男達として私の周囲に居た。私はこの男達と共に、私の人生が始った。

そして、私はこの男達が、其後どんな道を選択しようが、私の人生と切り離すことができない。その意味から、男達の名前を、大原佐五郎、渡辺貞二、中野武の三人から思い出してもらって、名簿を作ってもらったが、順序不同では話題が少ないから、「ノッポ」クラスと「チビ」クラスに分類して「四十二」士の名簿としよう。

先遣隊長、長沼忠治、西蒲原郡月潟村出身

「ノッポ」クラスの先遣隊

大村作治（大工）　西蒲原郡曽根村
小林休七　中蒲原郡亀田町
富山富三郎（左官、電話技師）　中蒲原郡庄瀬村
木口治夫（炊事班長）　北蒲原郡猿橋村
佐々木平三郎（手榴弾演習で死）　北蒲原郡佐々木村
長谷川嘉次郎　北蒲原郡川東村
中村文一（衛生班長）　古志郡栃尾村（自動車運転Bクラス）

小島重次郎　南魚沼郡（みなみうおぬまぐん）――
佐藤藤吉（禦馬の名人）　岩船郡神納村（かんのうむら）（唯一の大将ひげ）
太田武次　岩船郡猿沢村
村山秀義（営農班長）　東頸城郡（ひがしくびきぐん）松之山村

中位クラス

清野金次郎（建設班長）　北蒲原郡猿橋村
豊岡二朗（自動車運転Aクラス）　西蒲原郡味方村（あじかたむら）
渡辺貞二　中蒲原郡須田村（すだむら）
中野武　中蒲原郡七谷村（ななたにむら）
阿部喜久二　中蒲原郡臼井村（会計係）
大橋武夫　中蒲原郡十全村
中沢秀夫　北蒲原郡紫雲寺村（しうんじむら）
赤塚長次（加工係）　北蒲原郡――
長谷川仙三郎　北蒲原郡――
青柳勇（牧場）　古志郡――
深町誠一　南蒲原郡大面村（おおもむら）
上村仙二　北魚沼郡――

松井勇吉（大工）　南魚沼郡――
田口弘保　中魚沼郡――
春日留雄（普通作主任）　中魚沼郡――
福島龍一　東頸城郡――

「チビ」クラス先遣隊

渡辺茂夫（営農班主任）　北魚沼郡小出町（こいでまち）
鈴木哲夫（ソ（ママ）菜班長）　西蒲原郡岩室村
後藤久治　西蒲原郡岩室村
大原佐五郎（庶務主任）　西蒲原郡大原村
今井正吾（水田班長）　中蒲原郡亀田町（かめだまち）
谷保六　北蒲原郡安田村
番場石次（加工）　北蒲原郡紫雲寺村
山田孝二　北蒲原郡――
江部信次（ソ（ママ）菜班）　南蒲原郡下条村
小畑正吾　南蒲原郡葛巻村
小川宇三郎　岩船郡――
早川重正（木工班長）　古志郡――

中島忠司（本部当番）　南魚沼郡大崎村
増田惣次郎（運転手Aクラス）　東頸城郡松之山村
以上四十二名

この四十二名は、当時、満洲の最北端に入植したので、入植当時は黒龍江省（こくりゅうこうしょう）*であった。省公署*はチチハルであり、神尾弌春（かみおかずはる）*が省次長、通北県長于文英（うぶんえい）、参事官は同じ新潟出身桑原氏である。

戦死待遇　佐々木平三郎

農協法（開拓協同組合法*）が制定されて村山秀義が副組合長となり、村制が施行されて、私の指名で助役に就任した。
村山秀義が農協を担当し、大原佐五郎、渡辺茂夫が村制を担当した。

志、成らずして退団した者、
上村仙二（家族招致以前に去って行った）
結婚後退団した者、
長谷川仙三郎

其後（その）、相当の年月を経て退団した者、
　赤塚長次
　阿部喜久二
結婚して幸福な生活を続けながら、恋の波乱により去った者には太田武次がいた。
この退団者には、私は多くの印象が残っていて、私にとっては、もう少し我慢してくれればスバラシイ一面を持っていた男達だったと、今でも口惜しく思う。

＊**入植当時は黒龍江省であった**　先遣隊が入植した一九三七年（昭和一二）には、既に黒龍江省は龍江省と黒河省になっており（一九三四年に分割）、五福堂開拓団は龍江省に属していた。

＊**省公署**　「満洲国」の各省の行政機関。中華民国時代の省政府を改編した。

＊**神尾弌春**　一八九三（明治二六）～没年未詳。「満洲国」官僚。東京帝国大学法科大学卒。朝鮮全羅道警察部長、朝鮮総督府内務局社会課長、同学務局学務課長などを経て、「満洲国」国務院総務庁秘書処長兼法制局参事官、文教部学務司長、龍江省総務庁長、同省次長、参議府秘書局長などを歴任（『満洲紳士録』〈満蒙資料協会、一九四〇・一二〉（第三版）。『満洲人名辞典』〈日本図書センター、一九八九〉所収〉など）。著書に『まぼろしの満洲国』（日中出版、一九八三）など。『榾火』二五頁によれば、神尾は、山崎芳雄が嫩江（のんこう）に青少年義勇軍を開設した際、宿舎の不完備に耐えられず逃亡した多くの少年たちを保護した行政の責任者であり、満洲移民には強い反感を抱いていたという。

＊**農協法**〔**開拓協同組合法**〕　→六九頁「開拓団法、開拓農業協同組合法、農場法」

拓務省第六次五福堂、新潟村移民団の結成

〈先遣隊期〉 第一次から第六次までの移民団の歴史を見渡す。また中国語の堪能な堀忠雄は、通北県長・于文英と心を通い合わせる。

茨城県友部日本国民高等学校々長加藤完治が、関東軍の参謀石原莞爾少佐*とはかり、武装移民を着手したのは、昭和六年（一九三一年）である。北満依蘭軍*の顧問東宮鉄男*の斡せんで、佳木斯、永宝鎮に入植した。昭和七年（一九三二年）には第二次武装移民団*が、第一次と同様、重厚な県民性を持つ地方から在郷軍人だけを集めて、佳木斯七虎力に入植したが、謝文東*の反撃に遭って湖南営に転入植したのである。

第一次移民団長　山崎芳雄（北大・朝鮮拓殖会社*、青年訓練所長）

第二次移民団長　宗光彦（東大・満鉄（南満洲鉄道株式会社）*、公主山領青年訓練所長）

という経歴の者が移民団長となり、日本民族がかつて無かった偉大なる植民事業の完遂のため、有為の人材が加藤完治によって掘り出され登用された。

百万戸五百万人の移民大事業に最も欠如していたものは、優秀な団長、及び指導員であると見てとって、京大の橋本伝左衛門*博士、東大の那須皓博士が加藤完治校長に協力し、教え子達から人選された。経済不況時代とは云え、移民団に参加しようとする大学出身者は、極めて

＊**石原莞爾**　一八八九（明治二二）～一九四九（昭和二四）。大日本帝国陸軍軍人。一九二八年に関東軍主任参謀就任、満洲事変、「満洲国」建設を指揮した。一九四一年、予備役編入。最終階級は陸軍中将。

＊**北満依蘭軍**　「満洲国軍」吉林省警備軍の屯墾（とんこん）部隊のこと。この部隊は依蘭を駐屯地としていた（「満洲国軍事顧問並軍事教官一覧表外の件」（一九三四年「陸満密綴　第一五号」自昭和九年八月一七日至昭和九年九月三日。防衛省防衛研究所蔵）。

＊**東宮鉄男**　一八九二（明治二五）～一九三七（昭和一二）。大日本帝国陸軍軍人。一九二八年、張作霖爆殺に関与。満洲事変勃発の後、関東軍司令部付、「満洲国軍」吉林省警備軍教官（業務は屯墾部隊指導）。満洲移民を推進。戦死により最終階級は陸軍大佐。

＊**第二次武装移民団**　一九三三年（昭和八）に三江省樺川（かせんけん）県に入植した試験移民団、「千振（ちふり）開拓団」のこと。団長は宗光彦。『五福堂開拓団十年記』が入植時期を「昭和七年」としているのは記憶違いか。

＊**謝文東**　依蘭県の豪農で自衛団長。一九三四年（昭和九）、謝文東は、大規模な日本人移住地用土地買収に反発して蜂起。「東北民衆自衛軍」を組織し、第一次試験移民団、第二次試験移民団を襲撃し、また土（ど）龍山（りゅうざん）警察を襲い軽機関銃や小銃を奪った。当時の日本では、「土龍山事件」、「依蘭事変」と称された。

＊**朝鮮拓殖会社**　満鮮拓殖会社のことか。一九〇八年（明治四一）に、日本統治下朝鮮の拓殖事業推進のため、半官半民の国策会社・東洋拓殖株式会社が設立された。一九三六年（昭和一一）に、東洋拓殖会社と南満洲鉄道株式会社の子会社として、満鮮拓殖株式会社（新京）と鮮満拓殖株式会社（京城）が設立され、日本統治下朝鮮人の満洲移民を推進（『鮮満拓殖株式会社・満鮮拓殖株式会社　五十年史』〈満鮮拓殖株式会社、一九四一・六〉による）。

＊**満鉄**〈**南満洲鉄道株式会社**〉　一九〇五年（明治三八）設立の半官半民の国策会社。日露戦争によって得た東清鉄道の一部とその支線、撫順炭鉱の経営から出発し、事業を拡大し中国東北部の植民地行政機関の性格を強めた。「満洲国」建国後は、その工業、商業、農業、文化事業を一手に引き受ける巨大企業となった。一九四五年、敗戦後に閉鎖。

聊々たるものであった。

創設時代に指導員となった者は次の如し。

第一次移民団、佐藤修（東大）、平田静人（北大）、

第二次移民団　石橋哲夫（東大）、吉崎千秋（東大）

第三次移民団　林恭平（京大）、遠藤六郎（農大）、松井勇（麻生獣医）

第四次移民団　貝沼洋二（京大）、吉田伝治（東大）、得能数三（東大）

第五次移民団　木村直雄（京大）

第六次移民団　堀忠雄（東大）

斯うして、人材不足を補うため、指導員達は後続移民団の団長に転出して、建設にその経験を生かし、又、昭和十二年（一九三七年）より着手した青年義勇隊訓練所*長をも兼任した。

第三次移民団は一般農民子弟という条件だけで移民団を結成する試験移民として、林恭平が団長となって入地して行った。治安が不良であり、犠牲の出る心配から、林恭平は兵役無経験を理由に関東軍から反対されたが、奉天北大営日本国民高等学校長飯島連次郎*の説得が成功して移民団長となり、そして飯島連次郎が手がけた優秀な先遣隊員を、林恭平に従がわせた。林恭平は親友である私を指導員にして呉れと飯島連次郎に願い出たが、許可ならなかった。

第四次、第五次はソ満国境、関東軍の重要戦線となるべき東安方面に入植し、ソ連の丘を睨み続ける任務も加わった。これらの移民団先遣隊は、みな本山とも云うべき奉天北大営日本国民高等学校に於て、筋金入りの者だけである。特記すべきは、東宮鉄男中佐の直営にも似た饒

河少年隊は、宮城県南郷村より、松川五郎*が送り出して来たが、其の少年達は私の寮、一心寮に入り、私と生活を共にした。饒河少年隊は、ソ満国境の空に暗雲がたなびいた時は、ウラジ

---

* **橋本伝左衛門**　一八八七（明治二〇）～一九七七（昭和五二）。農学者（農業経営学）。東京帝国大学農科大学卒業。京都帝国大学教授。満洲農業移民を推進。戦後に、滋賀県立農業短期大学学長。
* **青年義勇隊訓練所**　「青年義勇軍」は、満蒙開拓青少年義勇軍（「満洲開拓青少年義勇軍」とも）。一九三七年（昭和一二）に、関東軍が青年農民訓練所の創設を提案、第一次近衛文麿内閣が閣議決定。一九三八年に、拓務省が義勇軍の募集を正規に開始。全国からおおむね一四歳から一九歳の青少年を募集。「満洲国」への大量移民国策の遂行を担った。義勇軍の青少年は、茨城県内原の訓練所で約二か月、「満洲国」内の訓練所で三年の訓練を受けた。
* **飯島連次郎**　一九〇五（明治三八）～一九九二（平成四）。農業技術者。京都大学農学部卒。奉天北大営日本国民高等学校長、満蒙開拓哈爾浜訓練所長、満洲国立開拓研究所研究官などを歴任。敗戦後、群馬県多々良村長、参議院議員を務めた。『梢火』七七頁によれば、一九三七年（昭和一二）六月末頃に、堀は飯島から五福堂開拓団長就任を依頼された。飯島は『梢火』に序文を寄せている。
* **松川五郎**　一八九七（明治三〇）～一九七七（昭和五二）。農業教育者。父は陸軍大将・松川敏胤。北海道帝国大学農学部卒。宮城県加美農学校教員、同県南郷村（現在の遠田郡美里町の一部）国民学校長、満洲移住協会参事。敗戦後は、天北庄内開拓農協参事としてサロベツ原野の開拓を指導（中村晴彦編『ヘルヴェチアヒュッテ八十五周年—建設した人々の記録—』〈北大山岳館運営委員会、二〇一二〉、大矢京右「児玉コレクション」〈『市立函館博物館研究紀要』第31号、二〇二一・三〉による）。松川は加藤完治の指導下、宮城県南郷村に国民高等学校を開設しており、松川の推薦でその生徒が饒河少年隊に参加した（『満州開拓史』一三九頁、二三一頁による）。

オ〔ウラジオストク〕に通ずる鉄道爆破の先べんをつける秘密司令を受けていたのである。
斯うした時、移民事業成功の兆の波に乗り、第六次移民団から国策移民と銘をうち、移民の送出を県単位にするようになった。五福堂新潟村もその一つである。老街基埼玉、海倫群馬、北五道崗山形、湯原静岡、北五道崗長野、〔以下、空白〕

第六次移民団は十八個集団であり、全くの未墾地に入植したのは、五福堂新潟村、老街基埼玉村、北五道崗山形の三集団*だけで、他はみな、満人*の既墾地を買収した場所であった。そのために、五福堂の開墾は極めて困難を伴ったもので、多くの問題点を発見した。

哈爾浜王兆屯中央訓練所長*飯島連次郎が、五福堂移民団の看板を書いたのであったが、この時に、もう移民団という語を廃止して、開拓団とし、開拓団法〔日満両国の援助を決めた法律〕、開拓農業協同組合法、農場法*を設定する動きになっていた。しかし、私達は、未墾地の開拓こそ真の開拓事業だと誇りを持ち続けていたから、色々の法律や名称などに捉らわれず、前進を続けたのである。

通北県長于文英は桑原参事官の達者な支那語に気を良くしていた所に、私の流暢な支那語での会話が加ったから本心を語ることが出来た。

于文英は、朝早く起きて、よく達筆揮毫していた。五福堂の為めに一詩*を書いて呉れた。

于文英県長は、六月十九日、五福堂開拓団の入植記念日は必ず雨が降ると大声で笑った。于文英は雨が降るということを慈雨であるのだと、私との交遊を歓(よろ)こんだのであった。

＊**北五道崗山形**　入植時、浜江省（または牡丹江(ぼたんこうしょう)省）に所属。龍江省では総務庁長・神尾弌春の方針で未墾地への入植が行われたが（→八七頁「高木県副長は、この可否で大へん苦労した」）、浜江省の事情については不明。

＊**満人**　「満洲国人」の漢族、満洲族、蒙古族のこと（たとえば、『満洲概観』〈帝国在郷軍人会本部、一九三七・四〉参照）。

＊**哈爾浜王兆屯中央訓練所**　開拓団の幹部（団長、農事指導員、畜産指導員、警備指導員、経理指導員、保健指導員）は、茨城県の「満蒙開拓幹部訓練所」で一か月から五か月の訓練を受けた後、ハルビンの「開拓指導員訓練所別科」で一年以内の訓練を受けた（『満洲開拓団史』四〇六～四〇八頁による）。

＊**開拓団法、開拓農業協同組合法、農場法**　「開拓団法」は満蒙開拓団を法的に規定した法律（一九四〇年五月施行）。開拓農業協同組合法の正式名称は「開拓協同組合法」で、開拓団が入植後おおむね五年に街村制（行政機構）、開拓協同組合（経済機構）に移行したときの開拓協同組合を規定した法律（一九四〇年六月施行）。農場法の正式名称は「開拓農場法」で、開拓農家のあり方や相続、開拓農場の概念、開拓の内の造成を規定した法律（一九四二年九月施行）。これらの法律の条文は、『満洲開拓史』（八五八～八五八～八七三頁）に掲載。

＊**一詩**　『榾火』一九六頁にその写真を掲載するが不鮮明。同一九七頁に「流れは両岸に映え、さらさらと音がする。曲水列坐せる如く、竹管弦音の盛んなるものなきも、ふれて一詩を吟ずるにたる飛鳥の幽情を。」という「概意」を記す（日付は「昭和十四年初春」）。

五福堂開拓団幹部会議

〈先遣隊期〉五福堂移民団の移民地建設が始まる。幹部の役割分担を明確にしたい警備指導員・岸田雄三郎の提案で幹部会議を開催。「対匪戦」については団長の堀忠雄が指揮をとることを宣言する。

私は悪い癖を持っていて、十分自信が得られるまで時間をおき考える。

団長就任式が終って毎日の生活が始ったが、唯、朝礼は型通りにし、東天を拝して「天皇陛下、弥栄」と三唱し、あとは黙々と其の日の事務、設計、仕事の決裁をしていた。午後には、たいてい事務を切りあげて外に出る。鍬頭（草けずりのホウ）〈畑の除草具〉と鎌を手にして、団員の畑で働いている場所に出かけた。

春日留雄は盛岡拓訓*出身で、農耕・普通作の班長であり、白菜、大根を播き、幼苗の中にビッシリ雑草〈の〉生えた、すさまじい雑草との除草戦を指揮していた。五徳堂部落〈当時は本部であり、後、高柳部落となった〉の北側の畑は、満人から買収した僅かばかりの既墾地である。鍬頭を使い慣れない先遣隊員は、とうとう腰をおろして、手で挘しる者もいた。

私は斯ういう作業はベテランであったから、先遣隊の側に行って作業をやった。

（私の鍬頭作業は奉天で丸一年、于先生に訓練され、賓県に於て二ヶ年、満人生徒とこの作業を競い、満人苦力*（労働者）と並び作業しても劣らないほど上達していた。）

団員の作業能率はひどく悪かった。共同作業であるから仕方ないにしても、この大平原を働く場所とする者にとって、不釣合いな仕事振りであった。私は構わず、スタスタと前進、作業を進めていた。長沼忠治は、私がどんどん先を急ぐので、私について来る積りか、汗だくで頑張っていたが、所詮、私の腕より遥かに悪るく相手にならなかった。私は両側の団員に〔を〕援助しながら進んだ。それでも余裕タップリであった。

夕日が西に傾むいていた。

斯うして、しばらく私は黙々の日が続いていた。五福堂移民団をどういうプロセスで創造してゆくか…と考え続けた。長沼忠治は建設班をうけ持ち、電柱を建てる作業を指揮していて、岸田雄三郎警備指導員と一体となり、どんどんはかどらせた。村山秀義は、小野元吉指導員のもとにいて、五徳堂部落前の畑を園地化し、貯蔵野菜の越冬に気をやんでいた。

中村文一は、張広衆（ジャンガンジー）部落の建設を進めていた。四十二名の先遣隊員だけでは、到底多くの作業を受け持てないので、近く第一本隊を迎える準備を急いでいた。

＊**盛岡拓訓**　一九三三年（昭和八）に、盛岡高等農林学校内に設置された第一拓殖訓練所。満洲農業移民のための訓練を行った。

＊**苦力**　不熟練労働に従事した中国人賃金労働者。ヒンディー語・タミル語に由来する英語 Coolie や Coody を中国語に翻訳した。「満洲」の苦力のほとんどは山東省、河北省からの出稼ぎ（『二〇世紀満洲歴史辞典』二六七頁による）。

移民地は一日も留まっていない。先へ先へと建設が急ぎ足で進められていた。

岸田警備指導員は業を煮やして、私に指導員会議をやり、受け持ち分担をハッキリしてくれと談判して来た。

小野元吉指導員は新潟県加茂農林学校教諭であったし、郷土部隊の移民団副団長格であるから、ゆったりして、疑義もなく、五福堂移民団に身命を捧げていたから、細部についても神経質でなかった。

しかし、岸田警備指導員は〔北海道〕旭川出身、たたきあげの騎兵准尉、いわばタタキあげ特務曹長*、兵営の中では、最もうるさ型、要領のいい兵営の蝨と自称する男で、指導員三人のうち最長老であった。彼は川原侃将軍に従つて熱河作戦に従軍したが、不幸にして実戦、第一火線に出陣せず、後方任務だけで退役になっていた。

私と小野、岸田三指導員は、経歴も、年令も、移民団に対する考え方も、それぞれ相違していた。この三人が、五福堂移民団の大生命をどう把握し、発展させてゆくか…の使命に嚮って会議をするのだから、一波乱は当然来るべく〔して〕来たのであった。

指導員の任務は採用される時に約束されているので、別に問題はなかった。岸田警備指導員は対匪戦*はどうするか？ と団長の私にきりこんで来た。私は即座に答えた。

「私が指揮をとる。戦闘はなるべくしない。日本軍が応援に来るまで持ちこたえるだけで、進撃はしない。但し、各部署の守備方法は岸田警備指導員に委せる。とにかく、移民団員にはは絶対犠牲を与えない様にすることだけを、やればよいのだ」

警備指導員は本職を採（と）りあげられた様な侮辱を感じた。とうとう怒り出して指導員の宿舎に引揚げてしまった。小野農事指導員は戸惑って、作業班の巡視に出かけてしまった。然（しか）し、直接は団長職に他から圧力が加えられることはなかったが、事（こと）、兵員動員に似た警備訓練は関東軍の手が伸びていて、現地派遣日本軍班長が勝手な要求ばかりする様になった。普段の生活は移民団であるから農作業が主で、警備は時により、怠けたりもした。外界の匪情（ひじょう）を検討してみると、攻撃して来るという動向は無くなっていたので、警備問題は総（すべ）て委任した。

関東軍に現地守備してもらうのは有難いが、何かにつけて文句を言うことには、不愉快なことだと考える様になっていた。ある時、岸田警備指導員は派遣軍班長と口論し、ビンタをとられた事さえあった。私は益々、警備任務の在り方について、日本軍のやり方と次第にかけ離れて行ったのである。

＊ **特務曹長**　大日本帝国陸軍の准士官（下士官出身で士官の待遇を受ける者）。士官の少尉と下士官の曹長の間に位置する。

＊ **対匪戦**　「匪賊（ひぞく）」（「土匪」とも言う）との戦い。「匪賊」ということばは、〝徒党を組んで掠奪・暴行・殺人を行う賊〟を意味する。「満洲国」においては、反満洲国抗日武装集団をさして「匪賊」と言った。

佐々木平三郎の被弾死

〈先遣隊期〉手榴弾の演習中に先遣隊員の佐々木平三郎が、手榴弾の破片を頭部に受け即死。五福堂開拓団の最初の死者となる。

北満の夏は、日が長い。朝三時頃には夜は明けてしまう。そして、夕方は午後九時頃まで明るいのであるから、昼寝は習慣となり、午後の作業は三時頃からやることもあった。
岸田雄三郎警備指導員は手榴弾（しゅりゅうだん）の演習をやるからと、私に許可を求めて来た。午後一時頃から五徳堂（ウドアンタン）部落、土壁の外、脱穀場の広場でゆったりと手榴弾の取扱い方法を先遣隊に教えていた。

第一弾を佐々木平三郎が投げることにした。佐々木は陸軍上等兵であり、性格は温厚、従順、適格な態度を示す男で、同じ兵役経験者である先遣隊長長沼忠治より、岸田指導員は佐々木平三郎を信用していた。

栓（せん）〔安全装置〕をひきぬくと、プープーと音が出た。やったことのない私は、気持悪る〔い〕ので数歩右に去った。正確な時間をはからい、遠くまで佐々木上等兵が投擲（とうてき）した。粟稈（あわわら）の積んである所までは約三十米（メートル）もあったが、その附近までコロコロ転がって、土煙（つちけむり）を立て爆発した。

佐々木が前側に伏せをしたのを見た。

どんなはずみか、佐々木は正面から手榴弾の破片が脳に入って、声一つなく即死したことを発見するまで、数十秒もかかった様な気がする。私は、投擲するや直ちに伏せる姿勢をとるものか…と直感したのが、実は佐々木平三郎の即死であったことを知り、唖然とした。心の中は、一刻一刻曇って行った。

後悔が先に立たず……で私は斯ういう失敗を何回か繰りかえしていた。私は直感通りやることで失敗したことがなく、初志を曲げては必ず失敗することが多かったので、岸田指導員に対する私の安全度確かめをしなかったことを悔いた。佐々木平三郎は北蒲原郡佐々木村出身で、清野金次郎とは水盃の友であった。清野金次郎は、真青になって寄り添った。佐々木！　と叫べども答は無かった。心臓が未だかすかに動いていた。顔面は朱に染っていた。何人かで私の寝室に佐々木を運んだ。五福堂移民団には医師が居ないので、老街基埼玉村移民団まで井之川彦次郎先生を早馬で迎えに行ったが、佐々木はまもなく心臓の鼓動が止まった。

五福堂移民団の犠牲第一号が発生した。

小野元吉指導員の責任感から悲しむ姿はひどかつた。先遣隊員達は皆、粛然となってしまった。

井之川医師はていねいにカルテを書いた。弾痕は正面額を破って上向きに命中し、約三寸位〈約九センチメートル〉も深い所で留まっていた。全団員は悲しみの中でお通夜をしたのであるが、何の準備も出来なかったが、村山秀義や春日留雄達が指揮して死体の枕辺を飾った。

　私と清野金次郎は佐々木平三郎の死体と三人で、オンドル〔床暖房〕の上に一夜を過ごし、早朝、岸田指導員は、大原佐五郎外（ほか）、数人を連れて北安（ペイアン）に連絡の為（た）め出発した。

　北安の日本軍憲兵隊は、暴発（ぼうはつ）で死亡したという原因をそのままうけとらないで、移民団員が喧嘩をし、撃ち合いしたのではないか、と岸田指導員に責任追及したが、やがては諒承して、火葬に付すべきことにも同意した。

　北安にはお寺が一つしかなかった。憲兵隊の前通り、朝鮮人料理屋の隣に、ささやかな西本願寺があり、宇佐美法師が住職であった。彼も五福堂移民団に来てくれた。

　第一回の移民団葬が行なわれた。
于文英（うぶんえい）県長、桑原参事官、出井菊太郎（いでいきくたろう）老街基団長、団員代表長沼忠治の弔辞に続き、友人である清野金次郎の悲歎にくれての弔辞には、ひどく悲しみの中に全員ひきこまれた。

　そして清野金次郎は遺骨を抱いて内地に悲しみの帰国をした。新潟県佐々木村も丁重に村葬をやってくれて、身替（みがわり）に佐々木平四郎を送出することに決定してくれた。佐々木平三郎の分骨と、佐々木平四郎・清野金次郎が又、五福堂に帰って来た。
新潟県庁は慰問品として、レコードと蓄音機一台〔を〕送ってくれた。
遺骨が帰国した時は、もう団員の志気はすっかり取戻されていて、益々壮（さか）んな建設が行なわれていた。

本部の先遣隊長は村山秀義、張広衆(ジャンガンジー)は中村文一、揚生屯(ヤンシュントン)は長沼忠治がこれに当り、分散体型が出来あがった。

清野金次郎の持参して来たレコードによって、東海林太郎(しょうじたろう)の歌が紹介され、「国境の唄」*が勇ましく、移民団員の心に協音して、青年達の意気が盛んになって行った。入植以来、満拓〈満洲拓植公社〉*のトラクター班の活動めざましく、五四〇町歩(ちょうぶ)の開墾を成しとげた。

---

* **「国境の唄」** 大木惇夫(おおきあつお)作詞、阿部武雄作曲の「国境の町」（一九三四年〈昭和九〉、ポリドール発売）であろう。
* **満拓〈満洲拓植公社〉** 一九三七年（昭和一二）に大日本帝国政府と満洲帝国政府の合弁で設立された国策会社。満洲農業移民に必要な施設とその経営、資金の貸し付け、土地の収得と管理・分譲、会社・組合への出資などを業務とした。本社は新京。東京と京城に支社が置かれた。

北安会談

〈**先遣隊期**〉北安で移民団長六名（五福堂は農事指導員・小野元吉が代理出席）と加藤完治による会談が開かれる。加藤は家畜導入と開墾を急ぐな、退団者が多くなっても驚くな、という指示を出す。堀は加藤の指示に従わず、まず開墾と農機具導入を進める決意を固める。

通北県は五福堂移民団が入植した昭和十二年（一九三七年）六月頃は、黒龍江省と称していて、五福堂が最北端、老街基があり、第六次海倫群馬移民団は、林恭平団長の第三次瑞穂移民団と共に浜江省に属していた。

黒龍江省の省公署はチチハルにあって、北安から西進すること、丸一日もかかる遠方地である。神尾弌春次長は、弁舌達者であり、私達を大いに励ましてくれた。満拓もここに在り、三好が責任者であった。瑞穂移民団の建築指導員渡部三代松は、チチハル満拓勤務になり、五福堂の住宅設計をしてくれたのである。

北安は未だ小さな集落であったが、将来、めきめきと伸びる形勢にあり、大きい宿舎はないから、「料理屋、三笠」がよく会議場に使用された。日本人売春婦がゴタゴタと住んでいた。

第一次弥栄移民団長山崎芳雄、第二次千振移民団長宗光彦、第三次瑞穂移民団長林恭平、老街基埼玉村移民団長出井菊太郎、五福堂指導員小野元吉、海倫群馬第六次移民団長石田伊十郎

が集まり、内地からは、友部日本国民高等学校長加藤完治が来て、指導方針を語り合った。

私は出席できなかったので、加藤完治は名刺に一言書き送って来た。

「君の移民団には都合でゆけぬ、家畜導入と開墾は急ぐ勿れ、健康を祈る、完」と達筆が、躍っていた。

老街基出井菊太郎団長には、懇々と「いくら退団者が多くなっても驚く勿れ」と注意がくり返された。

小野元吉指導員は、加藤完治の助言適切なことに舌を巻いて驚いた。剣道の達人である加藤完治の人間を視る直截感は、武道精神から発していることを小野は知った。

加藤完治は、東大に於て那須皓・橋本伝左衛門両博士と同期であり、山形自治講習所*を開設する前、「我農生」山崎延吉*の弟子となり修行をした先生であって、武道は山田先生、日本精神は、明治大帝に御進講された筧克彦博士*の薫陶を受け、東宮鉄男中佐、石原莞爾大佐と共に満洲開拓を創設し、移民の母と尊敬された人である。

---

* **山形自治講習所**　一九一五年（大正四）、内村鑑三の聖書研究会会員の藤井武が、内務官僚時代に、山形県知事の要請を受けて提案し設立された山形県立自治講習所。初代所長は加藤完治。山形県内各地から推薦された青年たちが共同生活を送りながら、農業を学んだ。

* **山崎延吉**　一八七三（明治六）～一九五四（昭和二九）。農業教育者、農政指導者。東京帝国大学農科大学卒。愛知県立農林学校長、帝国農会主席幹事、衆議院議員、貴族院議員。「我農生」と号す。農民には国家を支える使命があるとする「農民道」を提唱。

第一次弥栄山崎団長は北大出身、鮮拓会社〔朝鮮拓殖会社〕に居て、日本人移民を創設、又朝鮮人青年訓練に専念していたが、拓務省技師*中村孝二郎*と共に、満洲開拓地の選定を自らやり、三江省の匪賊地帯に初めて日本移民の第一歩を印した豪傑団長であり、第二次千振宗光彦団長は、陸軍三好一（中）少将の息子〔弟〕で、東大を出て南米移民志願したが、初志貫徹出来ずに満鉄会社に入り、公主領に於て支那人青年教育をやっていた。支那語を流暢に出来るのは、宗光彦と私と二人だけだった。第三次林恭平団長は京大で橋本博士の薫陶をうけ、私と友部に於て満洲開拓団長になる修業をした。この一流の移民団長と加藤完治は、第六次移民団十八個集団の現地指導をやっていたのである。

北安会談の数日後、隣団である老街基埼玉村では、出井菊太郎団長に対して抜刀して、退団申し入れ事件が起きた。出井菊太郎は机の廻りをぐるぐる逃げ回った。漸く事なきを得たのであるが、埼玉村移民団は転業者だけであり、気が荒らかったからである。

老街基移民団の〔農事〕指導員岡野良一は、この渦中に於て苦心した。彼は農大〔東京農業大学〕出身であり、温厚であった。彼の妻は美人型で子供がなく、荒れすさぶ移民団の生活は苦しかったが、先頭に立って人心の拾収（ママ）に協力した。

移民団の精神的寄りどころが、北安会談によって確立された。五福堂新潟移民団は典型的な農村子弟によって組織されていて、この青年達に希望と大志を与えるには、開墾と農機具導入を先ずやるべきだと私は考えていたが、加藤完治に一矢むくいられた感がしたが、やはり、私は考え通り初志を貫徹することにして、小野指導員に之を指示した。

＊ **筧克彦**　一八七二（明治五）～一九六一（昭和三六）。法学者（公法など）、神道思想家。東京帝国大学法科大学卒。東京帝国大学教授、國學院大学教授。法学と神道を結び付け、天皇と国家の一体性を主張。「満洲国」の国立大学・建国大学の創設委員を務め、また溥儀に進講した（西田彰一「植民地における筧克彦の活動について─満州を中心に─」〈「総研大文化科学研究」第12号、二〇一六・三〉による）。

＊ **拓務省**　一九二九年（昭和四）に設置された大日本帝国の中央官庁。植民地行政を統轄した。当初、南満洲鉄道株式会社、東洋拓殖株式会社の業務監督の権限も有した。一九四二年、大東亜省の設置により廃止。

＊ **中村孝二郎**　一八九〇（明治二三）～没年未詳。『榾火』二八頁に、「満拓理事」とある。拓務省に入省、弥栄村（第一次移民団）で開拓地経営を指導。満洲拓植公社理事。戦後は北海道開拓に従事。著書に『満洲集団移住地の展望　生ひ立ちより現況まで』（満洲移住協会、一九三六）、『開拓地の寒地生活』（北海道開拓協会、一九五二）、『原野に生きる　ある開拓者の記録』（開拓史刊行会、一九七三）。

開拓道路の予算要求

〈先遣隊期〉団本部までの道路設定と土地拡張について、堀忠雄は新任の通北県副県長・高木秀雄と対立。結果的には両方とも五福堂移民団の要求通りとなる。既墾地の含まれる土地買収に関しては、通北県長・于文英の協力を得る。

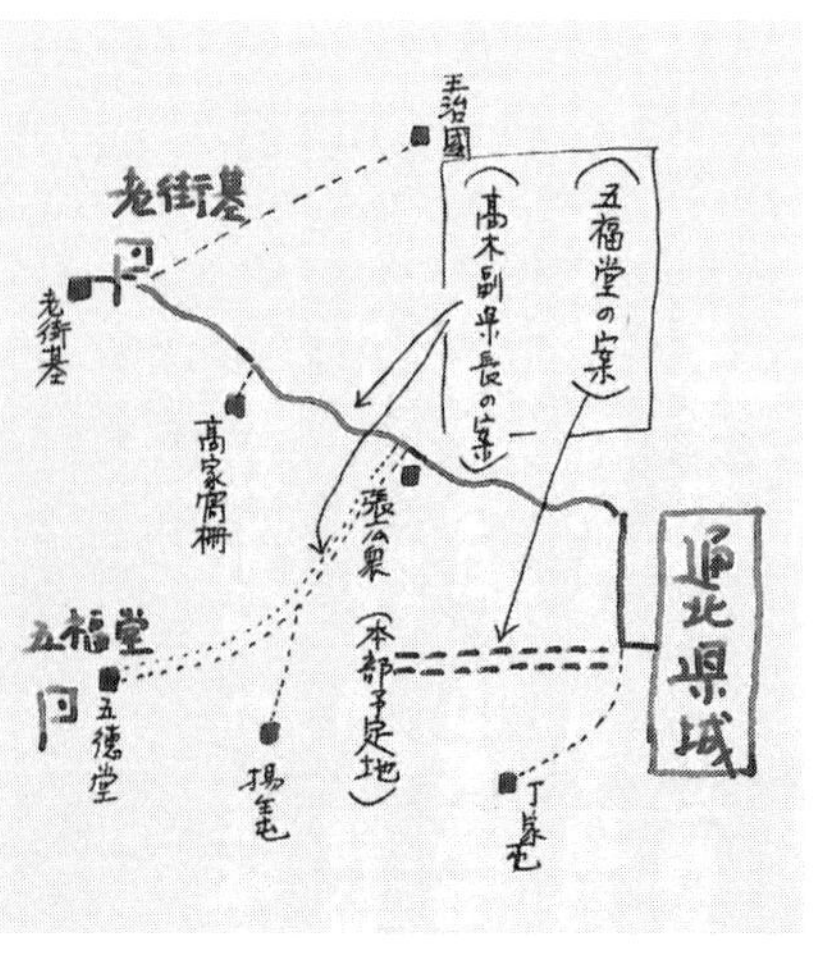

桑原参事官が転出して、新しく赴任して来たのは高木秀雄*副県長であった。彼は拓大〔拓殖大学〕出身で若い建国功労者と云われ、この時代から黒龍江省が、黒河省と龍江省とに分離され、〔龍江〕省次長の神尾弌春は、高木副県長を高く評価していた。

通北県は其の後、浜江省の一部が加わり、北安省となったのであった。

高木副県長の開拓事業のうち、批判を強くよんだものは団本部までの道路設定と、五福堂土地拡張問題であった。高木副県長の人柄は、ゆったりしていて肥満型、五福堂団長の堀とは全く合わない。老街基出井（いでい）団長の性格が、むしろ高木副県長が好きだというのが定評であった。そうした中に立って、建設に少々ニュアンスが違っていたから、高木副県長をめぐって対立した様に見えた。県城から移民団本部まで道路を作るのに、高木副県長の案をそのまま採用して、旧道を利用して老街基部落まで作る。そして五福堂はその支線にするという案に、出井団長が賛成した。五福堂は、県城から直線道路を新設して、将来の本部まで今のうちに建設しておくから、予算が不足しているならその中間まででもよい、という意見を出した。

この案の喰（ママ）い違いから、相当な感情対立をしたのであったから、色々の評判が行政の中に拡がった。新京あたりまで、五福堂と老街基は仲がわるいとさえ云われた。

私と出井菊太郎団長とは、年令は二十才も私が年下であっても、兄弟の様に仲がよく、意見が違っても相互許し合う仲であったのに、外部では仲が悪るいと評判したのは、別の事実から

＊ **高木秀雄**　一九〇七（明治四〇）～没年未詳。「満洲国」官僚。国士舘中学四年・拓殖大学大学部二年修了。突泉県参事官、醴泉県（れいせんけん）参事官、通化県参事官、通北県副県長、龍江省開拓庁招墾科長、海倫県副県長などを歴任（『満洲紳士録』〈『満洲人名辞典』所収〉、『満華職員録（康徳九年、民国三一年版）』〈満蒙資料協会、一九四一・一二〉による）。『榾火』二五頁によれば、高木は大同学院（↓一四五頁）出身。満洲開拓政策に反感を持っていた神尾の「子分格」であったという。

みたものである。指導者の関係は次の如し。

出井団長 ↔ 堀団長
周野農事指導員 ↔ 小野農事指導員
赤石警備指導員 ← …… 岸田指導員
批判・し合わない
一方的批判

岸田雄三郎騎兵准尉は赤石清歩兵少尉を、世間知らずの幹部候補生あがりで、麻布三聯隊*の二・二六*事件将校だと、悪口をたたいた。職業軍人は〔の〕、学校教師を、兵営内に於ては気のきかない型通りの人間性と悪評する習慣を、そのまま出井団長にむけていたのが、岸田警備指導員であった。隣団幹部に対してなす批判が針小棒大化して、老街基移民団と五福堂移民団と、ことごとに仲たがいしているのだと風評化して流れて行った。その中心的事実は〔の〕、道路建設と路線設計の相異がこの風評となり、次々と同じ評価の中で注目された。

ともかく、開拓道路は五福堂移民団の要求通りになり、秋も過ぎ冬を迎えて大地が凍結する頃に竣工した。

満洲の土木事業は、請負いから再請負いされ、日本人から朝鮮人に下請けさせ、そして支那人の把頭（棒頭）*に再下請けされた。この開拓道路も例外でなく、省公署から出た単価の半分位が現地での単価であった。

社会の甘さも酸っぱさも知悉していた岸田指導員は、朝鮮妃*の値段から算段した中間マージンだと評した。湿地を横断した盛土は春と共に融けて、落ちこんだ。

どっからどういう風に工事批判が拡がったのか、省公署では帳簿検査までされたとか……やはり表向き(おもてむ)きは、整然としたことを要求された。私はチチハル街まで出向いて、道路補修を要求した。

荒原に思う様に道路を作ってゆくのは、楽しいことであった。丁家屯の南丘を下ると、第一湿地にかかる。ふだんなら大して水流も激しくないが、降雨によって急に水流がかさまる(ママ)。又、

＊**麻布三聯隊** 大日本帝国陸軍の第一師団(東京)に所属する歩兵第三聯隊。一九三六年(昭和一一)二月に、中隊長の大尉・安藤輝三(死刑)、大尉・野村四郎(死刑)らに率いられ二・二六事件に参加。決起部隊の主力。内大臣・斎藤実(まこと)(即死)、侍従長・鈴木貫太郎(重傷)、陸軍教育総監・渡辺錠太郎(即死)、内務大臣・後藤文夫(外出中で無事)、警視庁を襲撃。同年五月に「満洲国」に渡り、チチハルに駐屯。

＊**二・二六事件** 二・二六事件は、一九三六年(昭和一一)二月に、大日本帝国陸軍の青年将校および民間人が約一五〇〇名の兵を率いて国家改造をめざしたクーデター。騒乱は二月二六日に始まり、二九日に収束した。

＊**把頭**(**棒頭**) 経営者から仕事を請け負い、労働者を集め従事させる者。「苦力頭」、「華工頭」とも。把頭による労務管理制度を「把頭制」と言う。

＊**朝鮮妃** 性売買に従事した朝鮮人の女性。「満洲国」では、芸妓(妓生)、酌婦、女給、ダンサーが性売買に従事していた(李東振「民族、地域、セクシュアリティ―満洲国の朝鮮人「性売買従事者」を中心として―」〈「クァドランテ」第22号、二〇二〇・三〉による)。

この湿地には洋草〔未詳〕が生え、水禽類が多く生棲していた。南端に一本の柳樹が栄養失調の様に、生気を失って生えていた。それでもこのあたりには、この樹しか無いから、誰もなつかしい柳樹であるとして、眺めて通った。〔終戦後、柳正、小林三郎、森山信吉を連れて小山豊雄酪農工場長が、小盗児〔窃盗犯〕を県域に送還する時、この場で、支那人暴民団の待ち伏せに遭い、乱戦して負傷した。柳正は深傷をうけ、遂に死亡した。〕

第一湿地の橋は長く、盛土は延々と続いていた。渡り終ると万代部落であったが、五福堂入植当初は、この丘は未買収地であった。五福堂移民団の用地拡張をこの丘にむけた。高木副県長は、この可否で大へん苦心した*のであったが、私は、とうとう無血占領した。

占領というのは、買収が中々はかどらないから、建築材をどんどん置いて、部落建設にとりかかったのである。高木副県長は、苦虫を喰った様に機嫌が悪るかった。小野元吉指導員は、私と高木副県長との仲に入る工夫をかさね、県公署の役人達に近づいた。

とにかく斯うして約二千町歩ばかり買収させ、五福堂移民団の用地は七千五百町歩にしたのである。

清野金次郎、塩田誠が測量班に参加した。満洲拓植公社からは、東京外語支那語科卒業の若手技師が立ち合った。于文英県長が、支那人達の諒解、懐柔工作に努力した結果である。この丘には、満人の既墾地も含まれていたので、支那人の懐柔工作に失敗すれば、多くの混乱が後年まで尾を曳くことになる。于文英県長〔から、〕満洲国側の土地買収工作は、なるべく既墾地を買収からはずす様に指令されていたので、注意深く事を進めたのであったが、彼は私に対して「堀団長は、我（于県長）的の意図を十分理解してくれているから、将来、原住民と手を結んでくれるだろう……！」と一言苦言を呈して、決心したのであった。
然し、省公署の神尾次長は、日本人移民、特に青少年義勇隊伊拉哈大訓練所*の設備不良から、訓練所脱出事件が多すぎたので、どちらかと云えば、いまいましくさえ感じていたので、五福堂の土地拡張と買収工作にも好感を持っていなかった。そして于県長に委せた形態であったのである。万代地区、綱島信平の部落、北魚沼分区、渡辺茂夫、桜井蓑作、山本三良等の畑、菖郷、長谷川嘉次郎等の畑は、斯うして昭和十二年（一九三七年）の冬から昭和十三年（一九三八年）の春*、未だ湿地帯が凍結している季節に測量をして、要求が完全に実現されたのであった。

＊ **高木県副長は、この可否で大へん苦心した**　『榾火』二三〜二七頁によれば、正確な測量の結果、農地不足が判明し、堀はその分を買収で対応しようと考えた。高木はこれを、「竜江省としては既墾地買収はしない方針」であると言い拒否した。堀は買収したい通北寄りの丘に木材を運び込み実力行使に出た。高木は県長・于文英と満洲拓植公社の買収官・吉村を派遣し、堀と交渉させた。神尾弌春『まぼろしの満洲国』五八頁によれば、神尾は一九三六年（昭和一一）三月一日に龍江省総務庁長に就任するとすぐに、治安を守るため、副県長を招集して既墾地を移民収容のため提供することを一切禁止する旨提案し、全員の賛成を得た。満洲拓植公社等からの要請も拒否したという。五福堂開拓団と老街基開拓団が未墾地に入植したのは、この神尾の方針によるものであろう。

＊ **伊拉哈大訓練所**　一九三八年（昭和一三）に設立された満蒙開拓青少年義勇軍の五大訓練所の一つ。龍江省嫩江県伊拉哈に設立され、収容人員一万人。初年度に一六〇〇名が入所。

この土地買収事件は、五福堂移民団先遣隊員達の内部不満を外に向って吐き出す要因になったことは、幸いなことであった。この土地買収事件の交渉期間中に、五福堂移民団にも幹部排斥事件が起きた。老街基移民団では出井団長に対する強迫事件であったが、五福堂は岸田警備指導員に対する転職要求という武装蜂起事件であった。この事件直後に、五福堂の土地買収が決定したのだから、有功な事実として記憶に残されたのである。

＊　**昭和十二年〔一九三七年〕の冬から昭和十三年〔一九三八年〕の春**　『棡火』二五頁には、高橋伊吉と塩田誠が「昭和十三年の春から秋までかかって」、見取り図作成の作業をしたとあり、北魚沼区と魚沼区の位置を決める調査を「昭和十二年の冬」に行ったとある。

第一回移民団長会議*

〈**先遣隊期**〉一九三七年（昭和一二）九月に新京で第一回移民団長会議が開かれる。会議前日の会合で、団長たちは、団長・指導員・団員死亡の場合、遺族の生活を保障する制度の創設を訴えるが、会議当日に関東軍参謀長・東条英機はこれを拒否。また、加藤完治を囲む会合で、加藤は青少年義勇軍の受け入れを団長たちに要請したが、堀忠雄は無言を貫く。堀を始め移民団長たちは、会議後、関東軍司令官・植田謙吉を訪ね、その別れのことばに、萬葉和歌の防人精神を自覚する。

昭和十二年〔一九三七年〕九月、新京に移民団長会議が開催されることから、続々と団長は集った。

山崎芳雄、宗光彦（そうみつひこ）、林恭平、佐藤修、貝沼洋二、木村直雄、青木虎若、矢口道愛、加藤熊次郎、堀忠雄、出井菊太郎（いでいきくたろう）、石田伊十郎、平田秀彦、得能数三、広部永三郎、佐藤民四郎、〈もう三人〉*（鉛筆薄字）

＊ **第一回移民団長会議**　この会議には、各移民団長の他、現地からは関東軍、満洲国、協和会、満洲拓植公社、南満洲鉄道株式会社、満洲拓植委員会、日本からは拓務省、大蔵省、満洲移住協会などの関係官・職員が出席。この会議の議事録、満洲拓植委員会事務局編『第一回移民団長会議議事録』（『満州移民関係資料集成』第二巻〈不二出版、一九九〇〉所収）がある。

平沢千秋、熊谷伊三郎、藤本俊幹、（鉛筆薄字）〈北村 佐藤　もう四人＊〉

これらの現地で鍛えた団長のうち、唯一人、湯原宮城移民団高村団長は入植後間もなく匪賊との交戦で死亡し欠けた。

全員中央ホテル＊に宿泊し、又内地からは、加藤完治、野々山彦鎰＊が出席するため、会議の前日、中央ホテルにやって来た。

中央ホテルの一室に集って加藤完治を囲み談論が始った。移民団長達との談合は直ちにまじめな事柄に集中した。宗光彦は最も無遠慮で、深い体験者でもあったから、移民団長は常に生命の危険にさらされていることを経験した宗光彦は、後進団長の為めに提案された。

「加藤先生！　私達は既に決心しているので、動揺ではないからよく聞いて下さい。若い移民団長、大学卒の新進気鋭の青年である移民団長が、後顧の憂を少くする方法を考えてもらうことが先ず必要だ。湯原の高村団長は入植して僅か二ヶ月で戦死した」

加藤完治はするどい眼をじいっと据えて宗団長を見つめていた。心のなかでジックリ考えていたのであろう。

軍籍にあった在郷軍人の者は戦死者扱いに出来るだろうが、団長の身分は拓務省嘱託という文官扱いであり、未だ十分検討が整っていないし、官庁的返事は、加藤先生の云うべきことでない。どんな返事をするだろうかと…一同注目していた。

「野々山君、〔満洲〕移住協会＊で家族の生活を保証出来るだろうねェ……」

「はい、やりましょう」

私達はそれでよいと皆んな諒解した。偉勢（ママ）のよいことを相談してみても、我が肉体が匪弾で倒れた時は、一さい空である。云はば、どうでもよいのだ。

貝沼洋二が「加藤先生、我々の生命は既に捧げた積りでいる。家族は皆若い。将来がある。だから移民団の中に団長や指導員の家族が、そこで永久に働ける様な公共施設を創っておく様にすれば、大部分解決すると思うから……」と具体的な提案をした。

夜は駆走の様に更けて行った。新京の日本人町あたりは、深夜になっても騒がしかった。時々大声で放歌しながら、馬車の鈴の音が消え去る様に、若い大陸の日本人達が道を通り過ぎた。

私は出井菊太郎、石田伊十郎団長と一室にごたごた寝についた。

深夜から出かけた者も居た。

＊**〈もう三人〉〈北村 佐藤 もう四人〉** 『満洲開拓団史』二〇〇頁によれば、内藤誠（東二崗開拓団長）、田中幸雄（西二崗開拓団長）、和田章蔵（竜爪開拓団長）、北川政雄（黒咀子開拓団長）、佐藤昇（東北村開拓団長）、中村秀市（熊本村開拓団長）、石川勝蔵（茨城村開拓団長）。

＊**中央ホテル** 新京中央通りにあったエコノミーホテル。日本旅行協会編『昭和十三年版 旅程と費用概算』（日本旅行協会発行・博文館発売、一九三八・六）によれば、一泊四円半以上。

＊**野々山彦鎰** 加藤完治の側近。山形県立自治講習所助手、日本国民高等学校農場主任、奉天北大営日本国民高等学校初代校長、満洲移住協会訓練部長。

＊**〈満洲〉移住協会** 一九三五年（昭和一〇）に、満洲移住事業の促進のために設立された協会。一九三七年に財団法人満洲移住協会に改組し、大量移民の募集を組織的に推進。

中央ホテルから出て日本人街を右に折れると、直ぐ支那人街に突きあたる。その左側に朝鮮人妃（キ）さんの家並がずらりとあった。遊びには最も手近かな場所であった。

その下町には支那人の娼婦街があり、ショートタイムで、三等は一円五十銭からせいぜい三円位であった。

満拓の測量班は、現地の危険から脱出して本社に報告旁々（かたがた）、帰京するとこの娼婦街にひたりッ切りで、生命を汚濁（おだく）させ、気分転換の数日を過ごす猛者（もさ）もいた。

明けて、団長会議のため、〔日満〕軍人会館*に出かけた。猛者団長達の手にする鞄（かばん）は、大てい疲れた、ヨレヨレのものが多かった。書類などで仕事をする男達でない。

信念と計略によつて「村づくり」する男達ばかりだから、格好などふりむきもしない。関東軍司令部には金光（キンピカリ）した菊花紋章*が輝やき、胸を鎮めてこれを眺めながら、コンクリートの道を歩いた。

開会された移民団長会議

植田謙吉*大将が出席されないため、東條英機*少将が参謀長として訓辞をした。満洲皇帝、溥儀（ふぎ）陛下の眼鏡と型が似ていても、東條閣下の素顔はいかめしかった。音声は低くても「満洲国は五族協和を理想とするのであるから、諸君はいずれ満洲国官吏に吸収する。そして五族の指導者の任務を遂行して戴（いただ）きたい。洩れ承（うけ）たまわると後顧（こうこ）の為（た）め、移民団連盟を結成したき主旨*、これは建国の理想に合一しないから、拙者を信じて、建国の大義に就いてほしい」という意味の訓辞をして、そそくさと会場を去ってしまった。
移民団長会議前の訓辞は偉勢（ママ）のよい言葉で飾られた。何でも国策国策で消化不良〔に〕なるぞ……と誰かが叫んだ。

＊〔日満〕**軍人会館**　新京の新発路にあった会館。一九三五年（昭和一〇）年六月五日、起工。同年一二月一五日、竣工。関東軍経理部設計。壁体煉瓦造、床及び屋根鉄筋混凝土造。地下一階、地上三階（さらに屋階あり）、延べ三一七六平方メートル。室数一〇四。一階に広間、グリル、大・小食堂、貴賓室、大集会室、二階に事務室、社交室、集会室、結婚式場、三階に宿泊室（和室一二、洋室一）（「昭和十一年三月日満軍事会館開館記念」絵葉書に添えられた「日満軍人会館新築工事概要」による）。

＊**菊花紋章**　菊の花をかたどった皇室の紋章。関東軍司令部の建物中央の入口上方に付けられていた。

＊**植田謙吉**　一八七五（明治八）～一九六二（昭和三七）。大日本帝国陸軍軍人。一九三六年に関東軍司令官兼満洲国駐箚（ちゅうさつ）特命全権大使就任。一九三九年に、ノモンハン事件（「満洲国」と外モンゴルの国境で起こった日本軍とソ連軍の武力衝突）の敗戦の責任をとり、予備役編入。最終階級は陸軍大将。

＊**東條英機**　一八八四（明治一七）～一九四八（昭和二三）。大日本帝国陸軍軍人。一九三五年（昭和一〇）、関東軍憲兵司令官就任。一九三七年、関東軍参謀長就任、日中戦争を推進。一九四一年、首相就任（内大臣、陸軍大臣兼任）。対米英戦争を主導。一九四四年、退陣。敗戦後、国際極東軍事裁判で、中国侵略、そのための戦争遂行、また捕虜虐待などの責により、A級戦犯として訴追され死刑。最終階級は陸軍大将。

＊**移民団連盟を結成したき主旨**　『梢火』一三～一四頁によれば、宗光彦は、「移民団連盟」を創設して、日本政府直属とし、移民団長・指導員・団員本人や家族が戦死した場合に保証する制度を作ろうとした。東條は、団長はいずれ満洲国官吏にするという考え方に立って、移民団連盟の創設を拒否したのである。

城子河佐藤修団長と哈達河貝沼洋二団長から移植日本馬の実績が語られ、日本軍が、日本内地から軍馬を召集し、輸送、陸揚げされ、第一線に於て軍馬が活躍する残存率は僅か五十%であるという実績に比較して、移民団が、之を飼育しておけば、その成績はすばらしく良いのだ・・・と主張した。加藤先生は全面的賛意を表さなかった。それは斯ういう理由からである。日本人満洲開拓を百万戸五百万人〔とする〕の基本計画が樹立されている。これも急速に実現される見通しだ。この移民者に二頭の日本馬を持たせるにしても、日本の軍馬資源は不足している。第一、祖国日本の農民達の毎日使っている馬さえ無くなる。諸君は、日本祖国はどうでもよいという利己的な思想なのか？　……と痛い所を突いた。佐藤修団長は融通自在な男で、「加藤先生！　そういう心配ありませんよ。わし等は、日本馬で大いに繁殖に使いますよ。日本内地より必ず繁殖率が高くなりますよ。又、支那馬にも日本馬を交配すれば、体格は大きくなるし、却って軍馬の資源は充実するんですよ…」と説明を加えた。佐藤修団長は又、ハルピンの弘子洋行*からドイツ製総鉄製プラウ〔plow トラクターで牽引する耕耘用農機具〕を買いこんだ。彼の意見は、北海道のプラウは満洲の土地に合わないから独乙製を採用したのだと説明した。加藤先生は再び警告を発した。日本は今、鉄に不足している。支那事変は、何時まで続くか解りやしない時代に、そういう鉄の余裕が日本は今持ち合せがないから……というのであったが、これは、松野傳*が〔から〕、満鉄の古鉄再製によつて実行出来る道があるという意見が提出されていたから、私達は、先生の御心配をかけない様に実現出来るのだと自信を持ち得たのであった。

夜、又、中央ホテルに〔で〕集会をやった。

今晩は加藤完治の眼は異様に輝いた。

「東宮君の饒河少年隊は成功したよ。南郷村の松川五郎の信念が結実ったねェ。来年から毎年、青少年義勇軍を大量送り出す肚が決ったよ。団長の諸君は之に協力してくれ給え」

「山崎君、君は、さしあたり五千人を引き受けてくれ！　いいねェ」「ハイ！」「宗君はいくら引き受けるかねェ」「加藤先生、一寸待って下さいよ・・・・どういう風にするのか説明されないで、直ぐ引き受けろ・・・！　と言うても、それぞれの移民団では準備も必要でしょうから」

「そうか・・・　小学校卒業した少年を私が訓練する。それにはちゃんと中隊長もつける。農事、教学、衛生など必要な指導員をつけて送り出すよ。だから君等は、移民団の中に訓練所を作って、寝起きさせ、広い畑で、実習、訓練の仕事をやって呉れればよいのだよ」

加藤完治は東宮鉄男少佐の現地訓練の結果、青少年は純真無垢で、在郷軍人と違って社会ズレがない。慾がない。日本の国難に殉ずる気魂を培養することが出来る新鮮さを持っている。白紙の様なものに、「大和魂」と画くことが出来ると思っていた。

＊ **弘子洋行**　「洋行」は、中国語で外国人経営の商社を意味する。現段階では、弘子洋行についての詳細情報は得られてない。

＊ **松野傳**　一八九五（明治二八）～一九五七（昭和三二）。農業技術者。北海道帝国大学農学部卒。北海道庁勤務（拓殖実習場十勝実習場長兼釧路実習場長など）を経て、一九三七年（昭和一二）に「満洲国」に転出。奉天農業大学校教授、興農部技正、開拓総局技正を兼務（『満洲紳士録』〈『満洲人名辞典』所収〉による）。

ヒットラーの、ヒットラー・ユーゲント〔ナチスの青年組織〕より遥かに立派な日本人青少年義勇軍を創設するには、移民団長達の持つ学識と人間をひきつける力と胆力が、今必要なのだと加藤完治は付け加えた。

宗団長も、出井団長、佐藤修団長も積極的に引き受けた。無言を続けていたのは、林恭平、堀忠雄、得能数三等で技術派の団長達であった。

内地に帰って、加藤先生は、青少年義勇軍募集の段どりが揃ったから、直ちに着手すると決心を披露したのであった。

団長会議は一週間続行された。

会議期間中、康徳会館*内の〔満洲〕拓植委員会*事務局を私は訪ねた。永宝鎮に出張中、匪襲(ひしゅう)を受けて傷ついた、第二次千振(ちぶり)郷移民団畜産指導員吉崎千秋は、微笑を浮べて私を迎えてくれた。事務局長稲垣征夫(いながきゆきお)*の部屋に入って雑談に耽(ふけ)った。「堀君！　僕は関東軍や満洲国の役人に号令をかけることが出来ても、現地の移民団員を一糸乱れず、ひきずってゆく自信がないよ。君は若いし、荒れ狂う団員の中を悠々と游(およ)ぎ廻われるんだから……」と励ましたりした。そうしたら片倉衷(かたくらただし)*中佐が這入(はい)って来た。稲垣征夫の紹介で初対面の挨拶を交わしたら、いきなり片倉中佐は「堀団長、君の団建設方針をきかせろ・・・・」と申し入れして来た。私は屈託なく談合していたのであったが、綱領*の「天皇陛下に帰一し奉まつり・・・・」の語に、執拗にこだわり、論が展開して来た。

私は加藤先生の直弟子(じきでし)であるから、そういう論判を以って云々(うんぬん)するより、実践だ…と信じて

いたから、迷惑だという感に捉らわれていた。そのうち「対匪対策はどうするのか・・・?」と

＊**康徳会館**　新京のメインストリート・大同大街にあった会館。一九三五年（昭和一〇）、竣工。煉瓦RC造地下一階、地上四階、延べ二六一六坪（三菱地所株式会社社史編纂室編『丸の内百年のあゆみ 三菱地所社史』〈三菱地所、一九九三〉による）。

＊〈**満洲**〉**拓植委員会**　一九三七年に満洲拓植公社とともに、その監督機関として発足。必要に応じ、移民に関する一切の事項について日満両国政府に建議する権限をもっていた（「満洲拓植公社設立ニ関スル条約及ビ附属文書」〈『満洲開拓団史』八七三〜八七五頁〉）。

＊**稲垣征夫**　一八九七（明治三〇）〜一九七一（昭和四六）。大日本帝国・「満洲国」官僚。東京帝国大学法学部卒。商工省を経て、一九三〇年に拓務省書記官、一九三七年に拓務事務官・満洲拓植委員会事務局長就任。以後、満洲国開拓総局長、興農部次長兼開拓総局長を歴任（『満洲紳士録』〈『満洲人名辞典』所収〉、国立公文書館アジア歴史資料センター・ホームページ「テーマ別歴史資料検索ナビ アジ歴グロッサリー」http://ec2.jacar.go.jp/glossary/gaichitonaichi/career/career.html?date=433〈二〇二一・一〇・二四閲覧〉、「うえだ（社団法人上田高等学校同窓会関東支部会報）」第5号〈一九七一・六・一五〉による）。

＊**片倉衷**　一八九八（明治三一）〜一九九一（平成三）。大日本帝国陸軍軍人。一九三〇年に関東軍参謀付、翌年に関東軍参謀就任。「満洲国」建国・運営に関わる。内地に転属後、一九三七年に関東軍参謀に再任。最終階級は陸軍少将。敗戦後は、大平商事会長。「片倉衷関係文書」が国立国会図書館に所蔵される。

＊**綱領**　「満洲開拓政策基本要綱附属書」の「六　満洲開拓青年義勇隊（満蒙開拓青少年義勇軍）に関する件」の「綱領」の第一項に、「一、我等は天祖の宏謨を奉じ心を一にして追進し身を満洲建国の聖業に捧げ神明に誓つて、天皇陛下の大御心に副い奉らんことを期す。」（『満州開拓史』八五〇頁）とある。

片倉中佐は専門家らしい問題を提起した。私は即座に答えた。「開拓団は戦闘を本務とは考えていない。万一のことがあれば、日本軍の援軍が来るまで、限定されている弾薬を打ち尽さない守備の隊形で、私が指揮することに決めてある…」。片倉中佐も私の方針に賛成してくれた。そうしている所に、満拓理事の中村孝二郎が入って来た。彼は、私達団長の親父みたいな立場で、誰れからも慕われていた。そして北満の水田問題を細部にわたって注意してくれたのは、有難いことであった。又、資金が必要な時は、花井脩治*理事に手紙を出して頼みなさいと注意されたりした。

私は、移民団建設は「自作勤労をモットウとし、地主根性にならない様にしたいし、又先ず満人の使っている犁丈（リージャン）〈馬などの二頭引きの犂（すき）〉を自由に使える様に団員を訓練し、自分の土地は自分でやれる力を培養する。そして一戸当（あたり）五千円の借金でやる。云わば、百万円の借金でストップし、自ら汗して、自らの力、パイオニヤ精神で建設するのだ」と説明したら、中村孝二郎は、「あまり張りきらないで、ゆっくりやることだ…」と協調してくれた。

移民団長会議も終った。山崎芳雄団長を先頭にして、関東軍司令官植田謙吉大将に、別離の挨拶に出かけた。

植田司令官は有名な童貞将軍である。将校当番が一人同室に直立していて、私達に対し将軍は諄々（じゅんじゅん）と諭（さと）してくれた。私達移民団長は昭和維新の防人（サキモリ）*だ。萬葉和歌*に謡（うた）われている防人の精神に、私達は心を躍らせていたから、植田大将の言葉に対して全ぷく的に信頼した。

そして、開拓団の裏には、関東軍という世界無比の力があるのだから、安心して現地の建設に身命を捧げてくれという言葉を百%信頼した。

「信は力なり」という加藤完治の思想と、私達は同質の確信を持ちながら、二階から下りた。

一週間の団長会議の中から私は多くの事象を学びとって、新京からハルピン行の列車に乗った。アジヤ号特別列車*の二等客におさまった。支那人の高級者三、四人居ただけで、ほとんど日本人ばかりが乗っていた。

ハルピンに到着するや、支那人の馬車（マーチヨ）〈小型の馬車〉に乗って、地段街の行きつけのホテルに泊った。ここには新潟出身の女中が居て、私は何処（どこ）よりも安心して宿泊出来た。

ハルピン満拓事務所にもトキワ・デパートに〈も〉近く、夜はモストワヤ街、名古屋ホテル*の喫茶部にも近くて便利であった。

---

* **花井脩治**　一八八八（明治二一）〜没年未詳。経営者。一九〇九年に南満洲鉄道株式会社入社。一九三七年に満洲拓植公社理事就任。満洲糧穀株式会社社長、満洲畜産株式会社取締役、長春市場株式会社社長（『満洲紳士録』〈『満洲人名辞典』所収〉などによる）。
* **防人**　七〜八世紀の朝廷の兵士で、辺境（実際には九州北部）の防備にあたった者。律令制度下では、勤務期間は三年で、農耕をしながら辺境を防備した。東国農民からの徴集を原則とし、各国から、二、三〇人から三〇〇人以下、総勢二〇〇〇人が兵士とされた。
* **萬葉和歌**　七〜八世紀の歌を集めた『萬葉集』巻一四と巻二〇に、防人とその家族の歌が収められている。一九三〇年代に「防人の精神」と言うときには、「今日（けふ）よりは　顧（かへり）みなくて　大君（おほきみ）の　醜（しこ）の御楯（みたて）と　出（い）で立つ我（われ）は」（四三七三・今奉部与曾布（いままつりべのよそふ））に表れた天皇への忠義心を意味する（本書「解説」参照）。

新京の団長会議出席の出張旅費は約八十円位だったから、金銭はふんだんに使うことが出来た。モストワヤの街角に小さな本屋があった。新刊書をどっさり買い集めた。

移民団長という職業であるが、他人から与えられたものとは思っていない。自分で求め、自分から永久に離れない立場、云わば宿命観さえあった。それでいて、何時(いつ)匪弾(ひだん)に倒れるか、そんなことも解らないのであるが、絶望感なども爪の垢(あか)ほども抱いていなかった。とにかく、足の向くまま放浪していた。

翌日、ねむ気の残る眼をこすりながら、ハルピン駅に馬車で走った。ハルピン駅は支那人でごった返していた。北黒線に乗る日本人は私以外ほとんど見当らない。

ハルピン駅の一、二等待合室の隅にマリア像があって、白系露人達も奥地の旅人となる者の旅路の安全を祈り、胸を十字に切っている。

北へ…北満のさいはてに旅する私の汽車は、三棵樹(さんかじゅ)駅でしばらく時間をとり、そして松花江(しょうかこう)の鉄橋をゴウゴウと渡った。松花江に接して天理教移民村があって、大きい建物が見える。呼蘭(こらん)駅は松花江を渡り北上すると間もなく到着するので、恰(あたか)も東京を出て北上して、利根川を渡った様な感じもするが、家は灰色で、北満の曠大(こうだい)な平原が、延々と続くと、私は急に元気が出て来る。綏化(すいか)に着くと、客はドッと下車する。ここから南叉(なんさ)、湯原の奥地に向う者たちが、弁当である焼餅(ショウビン)〔発酵させた小麦粉に油を塗って焼いたもの〕をブラ下げているのが目立った。

間もなく克音河(くいんか)である。この辺まで旅すると、朝八時に出た汽車であったが、もう午後になっている。

海倫・海北と北に進むと、駅間の距離は三十分もかかる。未墾の沃野が延々と続いているのだ。海倫は活気づいている。海倫県の副県長は松村三次*で、大物と云われていた。群馬移民団石田伊十郎は、何時も海倫ホテル*に泊まる。（終戦後、石田伊十郎は海倫ホテルのマダムと再婚し、群馬県浅間山麓に開拓入植した。）

海北まで行くと、北満の特性がハッキリして来て、大平原、未墾地、朝鮮人の入植、フランス人の建てた教会など、開拓の歴史がありありと残っている。

通北までここから二時間位かかる。通北県に入るとフロンテーアの眺めだけである。楢の林、

＊**アジヤ号特別列車**　南満洲鉄道株式会社の高速列車・特急あじあ。一九三四年（昭和九）、営業開始。最高時速一一〇キロ、平均時速八二・五キロで、大連・新京間（七〇一・四キロメートル）を八時間三〇分で走った。後にハルビンまで延長され（九四三・九キロメートル）、一二時間三〇分で走行した。

＊**名古屋ホテル**　モストワヤ街にあったエコノミーホテル。『昭和十三年版 旅程と費用概算』によれば、一泊三円～一一円）。

＊**松村三次**　明治大学商学部卒。「満洲国」官僚。「満洲国」民政部、青崗県参事官・海倫・木蘭県副県長、産業部開拓総局総務処土地科長、東安省開拓庁長・満洲農産公社理事などを歴任（小都晶子「日本人移民政策と「満洲国」政府の制度的対応―拓政司、開拓総局の設置を中心に―」〈「アジア経済」第47巻第4号、二〇〇六・四〉による）。

＊**海倫ホテル**　エコノミーホテル。『昭和十三年版 旅程と費用概算』によれば、海倫唯一の宿泊施設。一泊三円～四円。

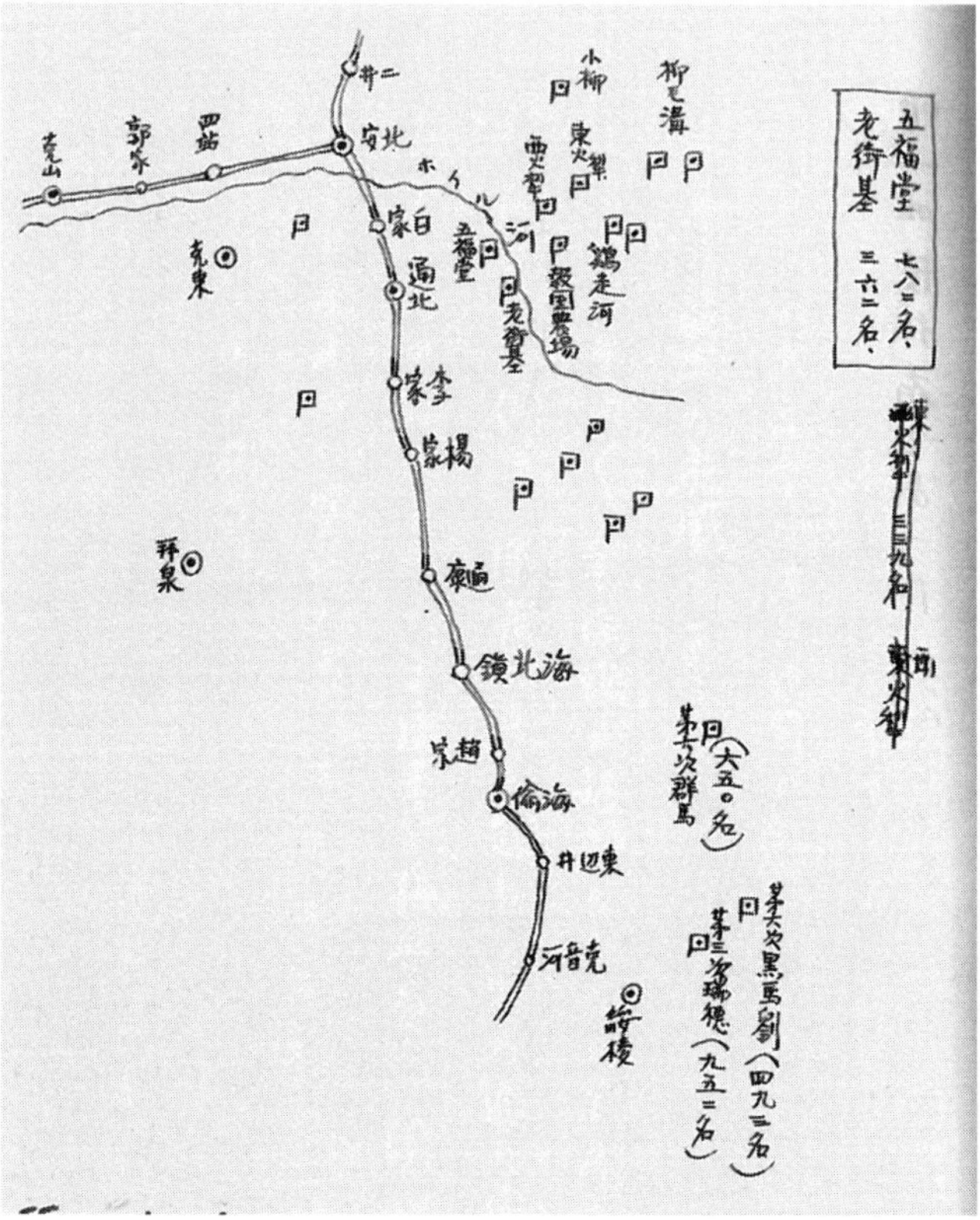

草原と野鹿（ノロ）〔ノロジカ。小形のシカ〕の群（む）れ、東には、うすく小興安嶺（シャオシンアンリン）の峰々が遠望された。

北安省（ペイアンしょう）に改編されて、この地方の古参移民団は第三次と第六次の四集団が、北満のフロンテーア開発の先頭に立っていた。

第三次瑞穂（みずほ）の林恭平団長は京大・橋本伝左衛門（はしもとでんざえもん）博士の弟子で、私と同時に加藤完治の移民運動に参加した。

第六次は、五福堂、老街基、海倫群馬、黒馬劉四国とあり、老街基出井団長は小学校長であって、報徳思想*の研究家であった。彼は教化立村をスローガンにして社会理想を追求実践派の右翼である。海倫群馬石田団長は陸軍少尉、群馬県から一番乗りに名のり出た団長であり、人間的には温厚、農村社会理想を遠大に求めた。黒馬劉四国の平田秀彦団長だけは、香川県の農会技手*であり唯一の技術者であった。神経が細かく、私より遥かに繊細な神経の持主で、言葉すくない遠望型であった。北満の大荒原は九月中旬の霜がどかッと降るまで、半年は満開の花園である。

ここに、それぞれ移民地が建設されたのである。

移民地は、中々、団長の考えの様に、思う通りには進まなかったが、その構成している団員と指導員と、現地の満人との目に見えない関係などから、そこに新しい生命が培(つち)かわれていったのである。

---

* **報徳思想**　江戸時代の農政家・二宮尊徳が説いた、道徳によって経済を支え、富国安民を実現するという思想。
* **農会技手**　農会は、一八九九年（明治三二）公布の「農会法」に基づき、農事の改良・発達を図ることなどの目的で設立された地主・農民の団体。市町村農会、道府県農会、帝国農会がある。農会には技術員として技師と技手が置かれた。

トラクター開墾

〈**先遣隊期**〉満洲拓植公社のトラクター班の力を借り、一九三七年（昭和一二）秋までに四五〇町歩を開墾したが、開墾したての土地は農機具を受けつけない。雪融け後はぬかるみ、トラクターも馬も深みにはまり込む。農耕は戦闘のようである。

満拓公社のトラクター班総元締は、東大出身の玉村であり、私と駒場グラ〔ウ〕ンドでよく陸上競技で顔を合せた男である。彼の部下には、農村青年の意気軒昂たる侍達が多く、月給僅か十五円という薄遇は、却ってトラクター班の活動を一層大陸的にしていた。

トラクターのオペレーター達はたいてい二十才前後の若者であり、その班長綿引は三十才未満の年長者だった。

第六次集団移民団のうち、ほとんど未墾地ばかりの所は通北県だけで、トラクターもここに集中動員されていた。荒くれ男達が、大地の開墾をする… まるで地球の皮剝きをしている様である。厚い黒土と雑草の根がぽっかり逆転する。轟音を立ててキャタピラーが丘を越え、湿地めいた所も構わず前進してゆくと、小さな黄色い甲虫の様に遠い丘に立っていた。畦は二千五百米も一本に繋がっている景観が新しく出来て行った。

鶉の夫婦鳥が草叢から飛び立つ。野鶏（雉子）はノコノコ走り、横の雑草の中にもぐる。一尺位の蟻塚もトラクターのキャタピラーに他愛もなく崩されて、大地は開墾されて行った。春日留雄は、毎日の様にトラクターのプラウに鎌とスコップを持って、後整地監督のためつきまとった。荒くれ男達は、少々開墾の出来具合が悪るくても意に介せず、地球の皮剝きを続けた。孤独との闘いである。

ただエンジンの音だけである。それでも時々、東の湿地帯、呼裕児河の残した沼のあたりから、鶴の呼び声が聞こえて来て、男達の心を慰めてくれた。

大きい円盤ハロー〔harrow 土ならし機具〕が、躍りながら走る。ビッシリ根が組み合つた表土（旧層）はガッチリ固まっているから、ハローなど、土嚢を一～二俵、重しをつけても、延々と続いた歴土（プラウで耕起した表土層）は切れもしないで、ゴロンゴロンしていた。小野元吉指導員は老獪な言いまわしで、若者達にていねいな作業をしてくれと頼んでも、荒らくれオペレーター達は、何処吹く風か、秋の日和は日が短かいのだ‥‥と先を急いだ。

玉村機械主任技師が五福堂本部にやって来た。トラクター班は様々な事故を起こすから、作業現場を巡視して歩るいていたのだ。五徳堂から通北駅に、道もない所、直線に西進していたドイツ製ランシ型トラクターが小国部落の北側、一本の柳樹の側で湿地に嵌まりこんでしまったからである。

熱していたエンジンが急に湿地に入りこみ、ずるずると沈んで行って、水が煮え立った様になり、鉄製巨人が傷ついた様に音が止まったのであるから、玉村機械主任技師も、後始末をしなければならなくなった。

「やあ、堀団長…若い者達だから時々斯うなるんだ、…」「急に通北駅まで用件が出て、近道をとってしまったらしいので、まあ許してやれよ」

開墾は入植した昭和十二年（一九三七年）の秋までに四五〇町歩をやり、凍結しかけて来たので中止した。小野元吉指導員は加藤完治が注意したことと逆に、開墾は二倍の速さで進めたのである。

「玉村主任、四五〇町歩の開墾も出来たし、又、この大草原の草刈もあるから、どんな機械を導入したらよいかねェ」

「今のうちなら、アメリカのインター機械〔作物条間作業機〕を導入した方がよい。北海道製もあるが、材質が悪るくて駄目だ、堀団長！　私に委せるかねェ」

「勿論、凡てを委せるよ」

満拓公社は、斯うして機械の導入をやってくれた。玉村機械主任の設計だから、手放なしで信用した。

数ヶ月して、モーア〔mower 草刈り機〕、テッダー〔tedder 干し草反転機〕、レーキ〔rake 集草機〕、ヘープレス〔hay press 干し草圧搾機〕、リーパー〔reaper 刈り取り機〕など、大量送られて来た。この機械は村山秀義が管理した。説明書は皆英文であったから、私が村山秀義に釈して教えることにした。特に種播機械は精密であるのに驚いた。カルチパッカー〔culti-packer 土壌鎮圧機〕も導入されたが、北満の大荒原には未だ受けつけない。それほど開墾地は荒すさみ、ゴロゴロ磈石の様に自然のままである。

「開墾という奴は、先ず開魂だよ」。移民者は、この開墾という難事業と闘たかわなければならなかった。


冬を迎え、春となった。

北満は凍土が融け初めると、大地から花だけ顔を出す。

福寿草が、黄色く、乙女の様に、ささやく。

サフランが青紫色の花弁を拡げて、春を賦う。

春だ春だ、移民団は急に活気づいた。


そして昭和十三年（一九三八年）度の作付は約九百町歩に達した。

（関東軍片倉衷中佐は、入植第一年目の営農は一戸当約六反（約十アール。十反で一町歩）であったから、五福堂が一戸当約四町歩をやる計画は無理だと私と議論したこともあって、私は小野農事指導員にこの完成を要請していた。）

開墾したばかりのゴロンゴロンした所は、砕土する前に燕麦の種を撒きちらして、その上をトラクターが走り、ハローをかけた。数日して雨が降ると一斉に発芽して、何百米も延々と燕麦の若芽が緑になった。

心配そうな春日留雄も、安堵の胸をなでおろした。

開墾と農耕は中々思うようにばかり捗らなかった。

昭和十二年（一九三七年）秋に開墾した場所は、雪融けとともに早く凍土が軟らいだ。トラクターが這いってゆくと、ブクブクと深みに入りこむことが多かった。動けなくなると別のトラクターで曳きあげたり、丸太棒を多く使って、挺子にしたりした。自然への挑戦は多くの知恵が用意されなければならない。小野元吉農事指導員は、毎日走り回り、西の丘から東の丘へとステッキを杖ついて歩るき廻つた。

トラクター開墾した畑は、畜力農法で挑んだ。馬を何頭も一人で使いこなす仕事は、大和魂が必要だ。それは、日本人が剣を手にして正眼に構え、丹田（へその下、数センチメートルの下腹部）に力を入れるのと同じ気合が必要だからだ。小林清作、薄田栄次は競馬の騎手であったせいか、特別の腕を持っていた。そして、プラウを三頭、或いは四頭曳にして、大地に挑んだ。湿地めいた所では、馬の腹までヅルヅルと濘かる。蒙古馬は、慣れたもので、泥濘に入りこむと、あせらず、時には馬の長い顔を泥に肘をついた様にくッつけて、ジローと上目を使った。日本馬は正直者で、あわてふためいて大きい腰をグラグラと動かして脱出しようと試みる。

「やぁや、日本人と同じく、日本馬まで気短じかだよ‥‥支那馬は慣れたもんだよ‥‥」。

農耕は、まるで戦闘であった。

黒河商談

〈先遣隊期〉堀忠雄は五福堂移民団の移民地建設に必要な木材を手に入れるため、一九三七年（昭和一二）晩秋に木材業・石川喜太郎の案内で、ソ連との国境の町・黒河に視察に行く。黒河材は、大興安嶺の山中で切り出され、筏で黒河まで運ばれていた。

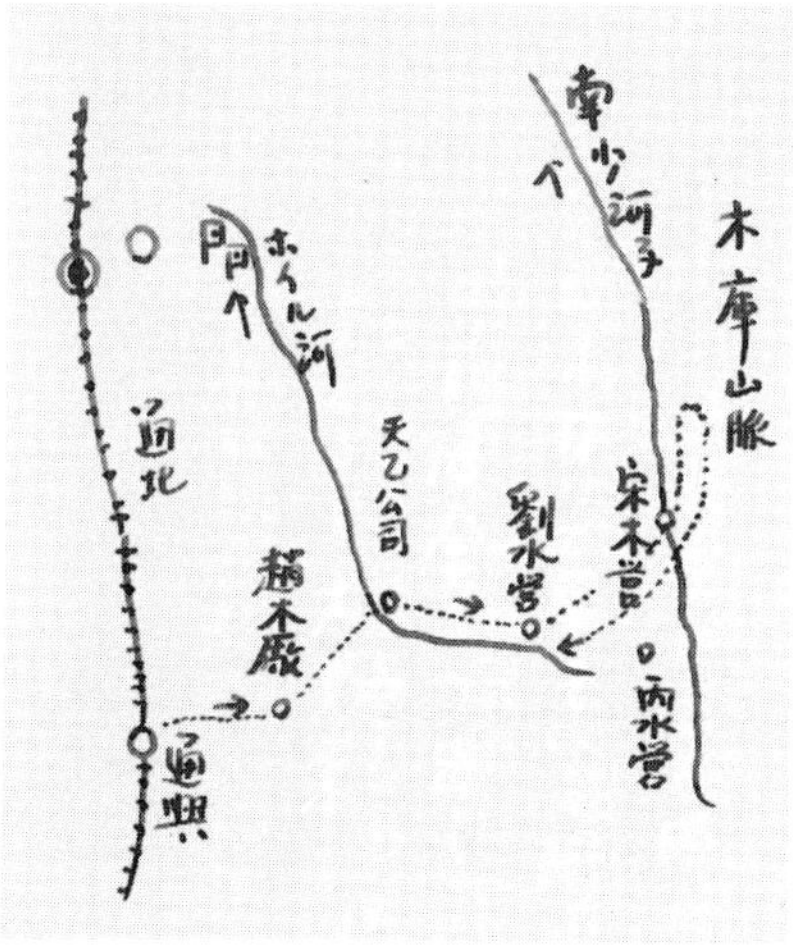

前頁の事件〈幹部排斥事件。本書では割愛〉から、さかのぼって記録しておかなければならないことは、五福堂移民団建設に必要な資材導入方針の決定の調査である。

第三次瑞穂移民団は林恭平の指導で、建築指導員渡部美代松〈七八頁に「三代松」〉が先頭に立ち、東方の小興安嶺に於て伐採をやった。第六次五福堂、老街基、海倫群馬は、小興安嶺でも北方に位する南少河子附近とその林相を調査して、やれるかどうかの判定を下すべき時期になっていた。高木秀雄副県長に、この調査隊の編成を頼んだ。北安営林署、伐採業界、移民団と、その警備隊、食糧担送苦力隊、総勢六十人が、通興から、天乙公司を経て、南少河子まで足を延ばした。

木庫山脈はひどい原始林で大木が自然に倒れ、朽ちている。人跡未踏とも云うべく、ことに夏期などは大虻（あぶ）が生息していて、馬さえ入ることが困難だと云われていた。

五福堂からは小野元吉〔農事〕指導員が調査隊長となり、団員から剛の者だけを選んで派遣した。渡辺茂夫、清野金次郎、村山秀義、中村文一など、精神力の優れた者ばかりを小野指導員に付けた。その旅路については、私は記入しておくほど資料が揃っていない。小野指導員は、結論的には、とても移民団の力だけでは到底伐採、運材をしてみても、採算がとれないから、南少河子の伐採を断念すべきだ、ということになった。

私は、北安の石川喜太郎を呼んで、黒河（こくが）材を購入する計画を立ててもらった。石川喜太郎は、北安街で木材業を営んでいた。北安に駐在している憲兵隊長や守備隊長、幹部等を〔に〕、巧みに連絡をつけて黒河材の入手をはかっていたが、狩猟が好きで、よく山歩るきをしては遊び廻るためか、経営資金は何時（いつ）も不便を感じていた。五福堂に来た時は、黒河材を購入する資金さえ準備出来ないで困っている所に、私からの話が持ち込まれたので、彼は前渡（まえわたし）金（きん）さえ出してくれれば、市価の半分位でも搬出してみせると大見栄（みえ）を張った。

私は、余りにも大胆な言い方なので警戒してみたものの、ハルピンから購入すれば丸太で一石当（こくあたり）十二円、製材品で二十二円ということなので、やはり黒河から購入することがよいと決心した。この決定には、岸田雄三郎、小野指導員も積極的な意見は出さなかったので、私は老街基出井(いでい)団長に話を持ちかけて、先(ま)ず黒河調査にでかけることにした。

北安から北上するには、憲兵隊から許可をもらわなければならなかった。そして汽車に乗っても、窓は全部閉鎖されて、窓外(そうがい)を眺めることが厳しく禁止されていた。

満人達は、特にきびしく警察憲兵に調べられた。私と石川、出井団長と三人は食堂車に入り、約八時間飲み続け、退屈をまぎらわしていた。

北満は既に晩秋で、草原は総て霜枯れしていた季節であるから、野火がすごく広がっていたらしい。時々車窓が熱くなるほど、炎が接近したこともあった。車窓から外をのぞく者がいないかと、憲兵は監視しているのだから、誰も之(これ)を冒す者は居なかった。石川喜太郎は、黒河材を入手するまでには多くの支那人を仲間業者として使い、満人達は〔が〕匪賊(ひぞく)達とコッソリ取引していることも日本軍は知っていたが、別に捕縛しないのだと語った。

それより黒河地帯は国境警備隊の陣地構築が〔を〕いそいでいたので、多くの問題があるのだと、コッソリ話した。

「ヒデイモンダよ・・・・国境での陣地構築には、支那人の囚人達を使い、構築が終ると、爆発事故を粧(よ)そって爆死さ〔せ〕たことがあったらしい・・・・」と石川喜太郎も驚いた様子で密話を伝えた。

この頃、黒河には、麻布三聯隊の兵隊達が、二・二六事件の反乱軍とされて、駐屯していたと言われた。*

---

* **この頃、黒河には、……** →八五頁「麻布三聯隊」

「どうせ、生命は風前の灯(トモシビ)だ・・・・」という荒れすさんだ軍人達に〔で〕、黒河の町は溢(あふ)れていた。又、反面、日本軍は、アムール河の底をくぐり抜けて、ブラゴエチェンスク〔ブラゴベシチェンスク〕を奇襲するトンネルの構築にかかっているとか・・・・様々な情報が流れていた。

外はすっかり夜になっていた。八時間もかかって漸(よう)やく黒河に着いた。黒河には石川喜太郎の「うわ前(まえ)」をはねるブローカー、三森の一派が待っていて、馬車に分乗して旅館に落ちついた。

旅館の窓から、ブラゴエチェンスクの灯が、皎々(こうこう)と見えた。別に灯火管制もしない黒河とブラゴエは、アムール河をはさんで対峙しているのであるが、表面には、少こしも国境としての警戒的緊迫感など無かった。

黒河の町は特別の町であり、公営賭博(とばく)の収入が省の行政収入の大宗を占めている。朝から深夜まで公営賭博が行なわれ、アムール河を多くの日子(ニッシ)〔日数〕を費して筏(いかだ)下だりをし、日当をもらうと、ここで苦力(クーリー)達は賭博をする。又、黒河の町には、満人の売笑婦が溢れていた。勿論(もちろん)、日本人の女、朝鮮人の女も多く商売をしていた。黒河の町に住む一般日本人家庭さえ、正妻が居るのはほんの僅(わず)かで、妾(めかけ)の身分で暮している婦人が大部分だとも云われた。石川喜太郎の妾は大胆な女で、自分からモーターボートに乗りこみ、筏が崩れて、上流から流失して来た丸太をひきこんで、自己の物にするという侠客(きょうかく)であると、喜太郎は紹介した。とにかく黒河は国境の町、さいはての町、男達の町である。

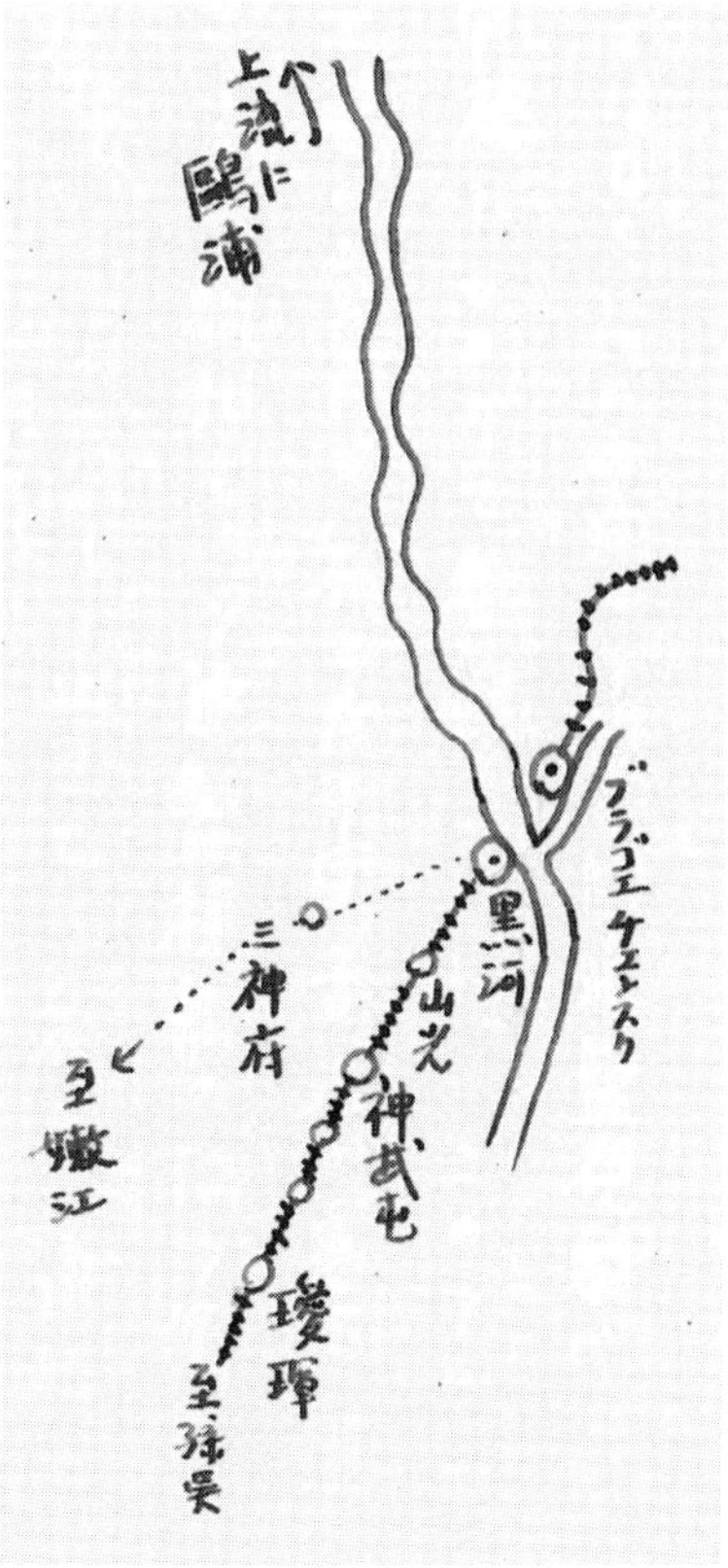

漠河を経て西に進み、南に逆のぼって満洲里方面に至る。

黒河より満洲里までは一千粁以上であり、黒河材として伐採されている大興安嶺の山中までは五百粁以上も離れているのである、この延々と続くソ満国境はアジヤの天険である。

このアムールを筏でゆったり流れ、下降して来る旅路は、平和な日本に育った私達には想像もつかないことであった。

筏乗りの苦力達は黒河に着いて、もらった日当を総て使い果して、又業者から前渡金を借りて深山に入ってゆくのである。

ロシヤ人達は、昔から大河を下れば海に出る…という幻を抱いていた。ことにシベリヤに住むロシヤ人は囚人が多かった。

ソビエットに政変してみても、この奥地に住む山男達の気風は同じであろう。彼等も筏を組んでアムールを下って来るのだ。

アムール河をはさんで、ソ連も満洲もここはフロンテーアである。この地域の中では、まともな事の外、意想外な事も多かった。ソ満国境は、アムール河の中間とはなっていても、別にハッキリしている理ではなく、河の中間をソ連の国境監視船が、小さな赤旗を帆柱にかかげて航行していた。このアムールに、ブローカー三橋の案内で、私と出井団長、石川喜太郎とがモーターボートで航行し、ソ連監視船の向う側をとばした。越境したのだから、止むなく私はソ連船の監視員に挙手の敬礼をして通りすぎたのである。

あとから、石川喜太郎は、三橋の野郎は、何時もあの手でお客さんを度胸試しをする奴だと、不満を洩らした。私は石川喜太郎に、木材を買うことにするから、移民団に来て契約してくれと言明したが、老街基出井団長は、今日は決心しかねるから後日返事をすることにして、旅館に帰り、今日は「自由にしてくれ」と言い渡し、私と出井団長はゆっくり旅館でくつろいだ。

部落分散

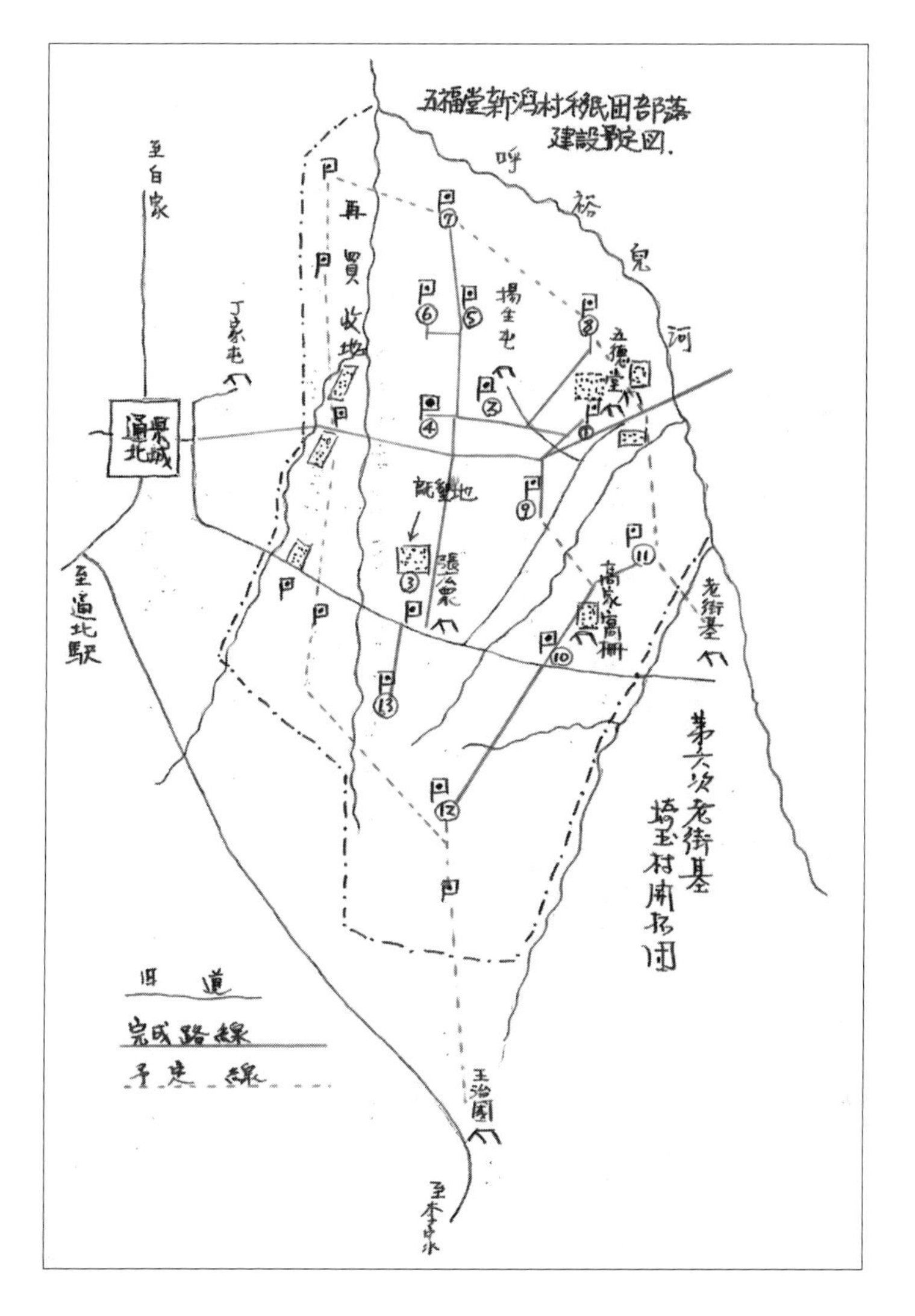
五福堂新潟村移民団部落
建設予定図.
呼
裕
河
至白城
丁家屯
通北県城
至通北駅
再買収地
五福堂
老街基
第六次老街基
埼玉村開拓団
旧道
完成路線
予定線

〈本隊入植期～家族招致期〉一九三八年（昭和一三）二月から、堀忠雄と団員は雪の荒野に、部落配置のための目印の旗を立てる。一九三九年二月一一日の紀元節に、堀が部落配置を発表。配置は移民団の将来を見据えて、堀が自分の判断で決めたものであった。

移民団の建設は、先ず二百十二戸の新しい開拓農家をどこの場所に作るか……ということが焦点であった。

小野元吉・岸田雄三郎両指導員が、ハルピン訓練所*にいた時、概念は出来ていたが、具体化はしていなかった。昭和十三年〔一九三八年〕になってから、塩田誠を主任として、七千五百町歩全地域を歩るいて湿地や地形・權木の有無を調査した。

既墾地は百三十町位しか無かったので、昭和十二年〔一九三七年〕度に約五百四十町開墾し、明けて昭和十三年〔一九三八年〕に約四百町歩を開墾した。トラクター開墾は、耕起しやすい場所から着手したので、部落予定地に均等の開墾地が準備されるほど、きめ細かに出来ていなかった。

斯うした準備不備のうちに、部落分散して、移民者が其処で生活を始めるのであるから、誰れでも、「良い所」が欲しいのは人情であった。又、日本軍守備隊は、対匪部落として〔の〕要素完備を要求し、営農本位、無防備部落の建設はするな・・・・ときつい指令を出していた。

そのうち、特に守備隊長指令は防禦線を短かくするため、土壁内の建物も集落密居を要求された〔し〕。

斯うした条件下において、止むなく四戸長屋式にした。

そして、丘の最も高い所を選択することにした。

この方針を厳格に守る様、一ヶ班の守備隊を五福堂に駐在させて監督を強化した。私は、日本軍の駐在しているうちに、土壁の建設を完了する予定を樹（た）てて、その位置決定を急いだ。昭和十三年の二月は、未だ雪が多く、融雪のきざしも無かったが、村山秀義、田口弘保、高橋伊吉、渡辺茂夫、塩田誠等と雪の荒野を歩るき廻った。

そして、雪の荒野の中に、棒に旗をつけ眼印にした。

歩行困難の場所は、自然と部落と部落の距離が縮んでしまった。しかし、どうにか荒野にその眼印が出来たので、私は、愈々（いよいよ）その配地を決定する必要にせまられた。

昭和十三年〔一九三八年〕、入植二年目は、先ず、誰が部落を作るか・・・・

「入植者個人個人の自由意志に委せるから、団長に申出なさい、その期間はなるべく早い方がよい。」と言明したのに対して、結局は出身郡単位の方向を示した。

そして部落の名称をも各自の好みにして、私の手元に登録して来た。

その中心的役割を果した者は次の如し。

①高柳、刈羽郡（かりわぐん）高柳村と鯖石村（さばいしむら）の出身者、中村徳義、柳正、中西永吉、小林松次郎、高橋米市

＊ **ハルピン訓練所** →六九頁「哈爾浜王兆屯中央訓練所」

②西蒲原(にしかんばら)、長沼忠治、浅間熊太郎、大原佐五郎、小林清作、鈴木礼司、後藤久治

③長栄、高柳部落に入ることを好まない綱島信平は古志(こし)、三島郡出身者の外(ほか)に小数の南蒲原郡出身者を糾合(きゅうごう)して、誓いの言葉を意味する部落を作った。綱島信平、中村文一、江部信次、高橋才次、諏佐長松、渡辺甚六、渡辺興吉

④本部、ここは移民農家は置かないことにして、農協、学校、村公所、診療所、加工場、児童寄宿舎、寺などとした。

⑤魚沼(うおぬま)、南魚沼郡、中魚沼郡出身者で、田口弘保、春日留雄、滝沢健次、庭野重吉、松井勇

⑥北魚沼、渡辺茂夫、井上秀、青柳角一、星野忠雄、山本三良、小林三郎

⑦菖郷、北蒲原郡出身だけであるが、北蒲原郡出身は最大人数であった。清野金次郎、山田孝次、品田徳蔵、磯部信、高橋定雄、長谷川嘉次郎

⑧妙高、頸城(くびき)三郡の寄合で、村山秀義、渡辺三郎がよくチームワークをとった。

⑨小国(おぐに)、刈羽郡の小国村出身者だけで、高橋伊吉、木我忠治、牧野正巳、角山藤市、細井巳之作

⑩平林、岩船郡の平林村で、内地で分村計画の第一陣だと称されたのは、平林と高柳とで、外は郡一円、或いは数郡集合部落を作った。高野勇之進、高野次郎、鈴木一郎、其(その)他面々は親類縁者、本家、分家の関係者が多かった。

⑪岩船、森慶作、佐藤藤吉、佐藤源治、磯部熊平、薄田栄次等、岩船郡一円で、小野指導員

と郷里を同じくした者達ばかりであった。

⑫中蒲原、北蒲原〔菖郷〕、西蒲原、中蒲原と、共に人数の多い集団であり、若さもあり、活気づいていた。今井正吾、富山富三郎、石井礼司、塩田誠、島倉庚市、大橋武夫、中野武、渡辺貞二

⑬牧場、昭和十三年〔一九三八年〕時代から団直属経営の牧場で、ここに種畜を置き、家畜の繁殖基地にしようと計画して運営してみたが、とてもその運営が、きめ細かに出来そうもなかったので解放した。ここには、長栄部落から分区することにして、中村文一、青柳勇、早川重正

後になって分区して行ったのは次の如し。この分区を作る様になったのは、農場個人経営時代で、治安の心配が無くなってからである。

西蒲原より西方の丘、万代部落に分区し、個人一戸建ての住宅を建設した。団本部からは僅か五十円の資金を出しただけで、あとは総て自家労力で完成し、土壁は作らず、解放部落とした。

長沼忠治、豊岡二朗、小林清作、後藤久治、鈴木哲夫、更科五郎、稲葉勇吉、水野一男

長栄から綱島部落を創りあげた綱島信平、諏佐長松、深町誠一の三人は、長栄が火事で焼けた時に、悲壮な決心で、西の丘に表土をはがして積みあげ、穴居生活をやった。この刺戟が、全団員に大きな勇気を与えた。

平林からは、綱島部落のさらに西、むしろ通北(トンペイ)県城、東門外とさえ言えるほど街裡(がいり)に近づいて行き、平林からは佐藤栄太郎、中蒲原から渡辺寅蔵が参加した。

中蒲原部落は、団本部がトラクター開墾時代、最も手がとどかなかった最南端部落であった。その南の丘、王治国に近いほどの南端、北の菖郷からここまでは約十四粁(キロメートル)もあって、起伏も多く、灌木(かんぼく)もあり、狼が常に出没するフロンテーアである所に、富山富三郎、中野武、渡辺貞治、小林熊吉が入って行き、富山の左官技術が活きて、綱島部落より体裁のよい部落を創りあげた。

北魚沼から西に向って丁家屯部落の満人達に接近して、ひどい湿地を歩るけるだけの修理をして入って行ったのは、渡辺茂夫、桜井蓑作、山本三良、星野忠雄である。

渡辺茂夫の妻マチ子は小学校の教師で、ここから毎日通勤した。星野忠雄は名義だけで副獣医であったから、団本部に通勤するため、井上秀の家に寄寓(きぐう)していた。

菖郷からは長谷川嘉次郎、番場石次、井上文雄等、北蒲原郡川東村(かわひがしむら)出身が西、北端地に分区して行った。三方、湿地と河に囲まれていて、丹頂鶴はいつもこの場所を住みかとしていた。

この部落分散が大むね完了したのは、入植して約五年、村制を施行した翌年までかかった。

私は、移民者たちに部落分散と場所の決定の全権が委任されていたので、約一ヶ年、乗馬で、七千五百町歩(ちょうぶ)の用地内を、隈なく巡り歩るいた。

この決定には一切の私心を、はさんではいけない……神に誓って、自信のある決定をすると、昭和十三年〔一九三八年〕、誓ったのであるから、昭和十四年〔一九三九年〕二月十一日、紀元の佳節まで、私は全く孤独で、荒野を歩るき廻った。

約一ヶ年の巡回と〔に〕、私の脳裡には色々の邪念がつきまとった。

中村徳義は一ぱいヒッカケて来て、高柳は、五徳堂(ウドアンタン)、旧本部を与えられるべきだ〔と言った〕。高橋鍛治屋は、この場所が今の所一番よい。西火犂(ライ)、東火犂の第九次開拓団が必ずここを通過する。東火犂佐藤益章団長は特に高柳の人達に好感を持っている。立地条件は、将来、ここは茶屋部落になるだろう。それには、高柳出身の人が適しているようにも思えた。

既墾地もあるから、高柳の家族が多いけれども、さしあたり食ってゆく食料準備も出来るから、団本部から細かい援助は不要であろうと私なりに結論づけた。

小国の細井巳之作は、開墾地は少なくても、自分等でやるから、今の五徳堂から近い所が欲しいと、むしろ懇願の形で私に相談に来た。私は承諾を与えずに、私の良心が決定するのを見守ってくれと言い渡した。

果せる哉(かな)、小国部落に入地してから、高橋伊吉が中心となって、東火犂開拓団に土壁作りの出稼をし、資金を持ち帰って、翌年はトラクター開墾を進めて、一挙に一戸当(あたり)、六町歩の耕作に〔を〕した。木我忠治は留守の妻たちを励(は)げまして、営農に専念した。結婚したばかりの男達は、精力のはけ場にも困っただろうが、よく我慢して出稼を完成した。若い開拓者から若い妻を切り離し、孤閨を守らせるには、激労働と、眠る時は死んだように熟睡させる以外ないのであることを心得て、之を実行した。私は細井已之作の希望を入れてやって〔も〕よかったと、後年になって感じた。

西蒲原には、若い多くの有用便利な人材が居た。この者達を本部近くに配置しておけば、本部の活動が（を）活溌にすることが出来るだろうと勝手な考え方をしてみた。

自動車運転は正式のものではなかったが、中村は器用だから直ぐ使える。ゆくゆくは中村を床屋にしてやろう。

長沼の爺さんと、鍛冶屋の浅間熊太郎はお灸も出来るし、医者が居ない時は便利だ。水野一男はお菓子の職人だから、材料さえ与えておけば、各部落の調達に間に合う。稲葉は、妻は根気よく働くけれども、彼は蓄音機の修理工だから余り働かない。斯ういう男は、やはり本部の近所がよいとも思った。大原佐五郎、野崎由太郎は、移民団事務には欠くことの出来ない男達で、直ぐ声のとどく所に置く。どう考えても西蒲原は楊生屯を部落にするのがよいと、心の中で決めていた。

構成には特別の性格はないが、仲よくやってゆけるだろうと思われた。妙高、魚沼、北魚沼、岩船を中位地区に配置して、将来は環状線道路の拠点にしよう。

それには、私の提案を難なく受け入れる人の構成部落とその位置を決めておいた。

北端と南端、この地域の開発がうまくゆくかどうかは、五福堂の盛衰にもかかる。開拓団の意気にも影響する。満人達に日本人の真意を示すためにも、この辺境には若者の気合が必要だったので、北蒲原と中蒲原をこのフロンテーアに派遣するのだと、私も悲壮な決心であった。

北には清野が居り、南には富山が必要であった。

私の邪念、アイデヤ、私の予測と現地の視察でこの部落配置を作りあげた。

昭和十四年〔一九三九年〕二月十一日、五福堂新潟村神社に於て、神官角山藤市と品田徳蔵の大祓（おおはらえ）が終ると、神前に於（おい）て、私は朗々と部落配置を読みあげ、神前に書類を捧げて礼拝をした。

天晴（あっぱ）れ
あな面白（おもしろ）
あな手伸（たの）し
あな晴明（さや）け
おけ＊

＊ **天晴れ……** 古代の氏族・忌部（いんべ）氏が伝える古伝承をまとめた『古語拾遺（こごしゅうい）』に見える、天石窟（あめのいわや）に隠れた天照大神（あまてらすおおみかみ）が再び現れて、神々が喜んで歌い舞ったときのことば。「あな」は感嘆のことば。「面白」は目の前が明るくなる意。「手伸し」は、手を伸ばして舞う意。「おけ」は囃詞。加藤完治はこれを、日本国民高等学校の朝の拝礼のことばとした。

全員を東天に向かわせて、「天皇陛下、弥栄（いやさか）」と絶叫した。

水をうったように静寂であった。移民者達は、永遠の住家が決ったのである。来る年には、又、苦しさばかりつきまとう環境不良に失望することなく、たくましく進むのだ。あるときは匪襲（ひしゅう）を受けて、恐怖におののくかも知れない。又、良き稔りを得て、辺境で踊り狂うかも知れない。若妻はお産の陣痛を泥小屋の中で吹きしぼって、新しい生命の誕生を迎えることもあろう。

開拓者よ、
汝が生命と、共に栄える
大草原に、住家を創ろう

五福堂移民団員の優れた人生観は〔を〕、この部落分散の瞬間に私は強く感受した。

開拓者はどんな環境におかれても、必ずそこを征服するのだ。その自信は凡（あら）ゆる創意工夫する能力を持っていることの外（ほか）、最大の力は、如何（いか）なる困苦欠乏にも耐え得る能力を持っていることだ。どこの部落に配置されても、誰も文句を云わずに、ひたすら其処（そこ）の土地を、丘を、湿地を自分のものとして愛して行った。

大地に印する開拓者の足跡は
数多くの愛を湧かす
五福堂開拓団の軌跡は
愛だけの足跡であった

中村長一郎事件

〈本隊入植期〉一九三八年（昭和一三）七月に、中村長一郎を隊長とする五福堂移民団の本隊が到着する。堀忠雄は共産党転向者を受け入れたくないという気持ちから、中村と対立する警備指導員・岸田雄三郎の側に立ち、中村に退団を命ずる。しかし、中村を退団させてみると、それが移民団の指導者の判断として間違いであったことに気づく。

昭和四十年代（一九六五～一九七四年）から反省すれば、まるで人間的な行動ではなかったが、昭和十三年（一九三八年）、本隊入植した当時は、団長に与えられた権限（のうち）は、団員に「退団を命ずる」位の事は、誰もそんなに重大事件として取扱わなかった。

中村長一郎*は高柳村出身で、左傾運動から転向し、代用教員（免許状を持たない教員）をしているうち、満洲開拓が国策として躍り出た時、分村運動の先頭に立って、五福堂開拓団に本隊入植の時、総大将格で渡満した。

岸田雄三郎警備指導員排斥事件が、朝日新聞の全国版*で報道され、人心動揺が未だ治（おさま）らないうち、三月十日*を期して、本隊が入植して来た。新潟港を出帆する時、新聞社*の記者が中村長一郎にインタービューするのは当然であり、それに決心を語る移民者は、人生の転機に際して高姿勢であるのも当然である。然（しか）るに、中村長一郎が「県民のために闘う、移民団を円満にする活動〔を〕する・・・」という極めて当然の発言を、五福堂移民団幹部は曲解してうけとり、岸田指導員排斥事件の後始末をするため、県庁役人のさしがねとして、中村長一郎を総大将とし、新聞記者に発言させた…というものだとうけとった。特に岸田指導員は、後日、必ず中村長一郎と岸田指導員の〔と〕対決することになるだろうから、私に対して「その時は、指導員の方を

---

* **中村長一郎**　一八九四（明治二七）～一九四八（昭和二三。戦時死亡宣告による。実際には一九四五）。高柳尋常高等小学校代用教員（磯之辺分校勤務）。このとき、武者小路実篤（むしゃのこうじさねあつ）の「新しき村」に刺激を受け、「いい村」運動を進める。岡野町尋常高等小学校訓導。退職して民衆啓蒙運動を推進。高柳村会議員。議員在職時の一九三〇年、昭和恐慌による不況対策のため、部落共有金の貸し出しを地主たちに交渉したことが、「暴力行為等処罰ニ関スル法律」に反するとされ逮捕（実際には違法行為ではなかった）。全国大衆党高柳支部長。一九三八年、五福堂開拓団に本隊の一員として到着。一か月後に退団。一九三九年、清和開拓団に本隊の一員として到着。一九四五年八月、避難先の佐渡開拓団でソ連軍の猛攻を受け、妻、二人の子死亡。九月、中村と他の二人の子を含む生き残った清和開拓団員も現地住民の襲撃を受け死亡・消息不明（村田徳雄『モフの生涯―中村長一郎言行録―』〈玄文社、一九九九〉による）。『五福堂開拓団十年記』に、左傾運動から転向して代用教員となったとあるのは、当時の新聞報道（『モフの生涯』によれば、一九三七年六月に「タイムス」が中村を「社会運動の元凶」と報じたという）に基づく事実誤認であろう。
* **朝日新聞の全国版**　朝日新聞記事データベース「聞蔵Ⅱビジュアル」の検索では、この事件についての記事は見出せない。
* **三月十日**　『榾火』八四頁、一三〇頁によれば、本隊の入植は三月八日。
* **新聞社**　村田『モフの生涯』五八～五九頁に転載された堀忠雄の深田信四郎宛書簡によれば「新潟日報」。

援護しなければ、岸田は団長と即座に対決する」という強行意見を出した。

本末転倒であったが、私は中村長一郎が五福堂に入植してから数カ月後に、「退団を命ずる」と、本部に呼び出して言い渡した。中村長一郎は即時承知し、五徳堂(ウドアンタン)の門をくぐり去つて行く時私に向って、「うらんではいません。むしろ好意を寄せている。再会を楽しみにしています。さようなら」と言い残して小国(おぐに)の方に歩るいて行った。

団長であった私のミスは、この中村事件であったが、団員は黙してこの事件を語らなかった。

(中村長一郎は、第七次清和開拓団に入植した。虎頭・・・最前線、そして、終戦時におけるソ連軍による攻撃などで、今はその消息が解っていない。五福堂に入植していたことより、確かに不幸な結果を招いたものではなかったか……)

何故、中村長一郎を退団させたか……

岸田指導員のデッチあげであった。それを私が許した所にミスがあった。

共産党転向者*だ…… 私はそのこと自体を好まなかった。私は共産党が嫌だから、加藤完治(かとうかんじ)先生に弟子入りしたのであるから、中村長一郎という人間の評価ではなく、共産党転向者は受け入れたくなかった。岸田指導員は、年輩団員綱島信平、細井巳之作、角山藤一、品田徳蔵を利用して、中村長一郎の退団命令に該当する欠点をデッチあげようと狂ほんした。私は岸田指導員のこの行動は嫌でたまらなかった。

中村長一郎を立てれば、第二回目の指導員事件が起きて、内部分裂が本格的になり、私の統率力が安価に評価されて来ると考えたので、敢(あ)えて中村長一郎を退団させた。そして其後(そのご)二年余りで、岸田指導員を嫩江の上学田青森開拓団の団長に押し出して、目的を達成した。

中村長一郎事件で、私は新京拓植委員会の稲垣征夫から呼び出され事情調査されたが、私の我執は斥けられて、中村は、第七次清和開拓団に入植したのである。

私は、この中村事件で、開拓者の身分について次第に思想が変って行った。この事件は私の本領を崩した弥縫策で、移民政策と指導者としての態度から見て、明らかに間違いであったことを知った。「来る者を拒まず・・・去る者を追わず・・・」という人生観より「去る者を作らず」という観念に近づいて行った。

移民をする…という心情は、何か大きい転機より生じたことで、移民事業は何はさておき、その個人の幸福を五福堂の中で創造する以外ないのだからである。

この記録の中で、私は中村長一郎やその家族に、私は謝ざいしておきたい。

この事件に関連して、新潟県庁は母県より送出した団員の動向について、満洲のことまで色々と意見や口だしが露骨になされたことについて、私は本気で反論をした。稲垣征夫とこの論をした。

日本政府の言いなりになる位なら、満洲国など作らず、初めから植民地にしたらよい。リットン卿*の毒説が証明される実態をさらけ出すことではないか…と反論した。この論は適当なも

＊ **共産党転向者**　中村は全国大衆党（中間派社会民主主義の無産政党）に入党していたが、日本共産党員ではなかった（村田『モフの生涯』によれば、中村の弟・信吉が共産党員になっている）。

のか、間違っていたものかは、終戦後の満洲における日本人の動向から反省してみなければならないことである。中村長一郎を退団させた私も、間違っていた。新潟県庁の口だしだって間違っていた。間違っていなかったのは、中村長一郎と拓植委員会の稲垣征夫である。

＊ **リットン卿** 伯爵ヴィクター・アレクサンダー・ジョージ・ロバート・リットン Victor Alexander George Robert Lytton 一八七六〜一九四七。イギリスの政治家。一九三一年（昭和六）に起こった満洲事変の調査のために国際連盟理事会が派遣した「国際連盟日華紛争調査委員会 League of Nations Commission of Enquiry into the Sino-Japanese Dispute」（「リットン調査団」Lytton Commission）の委員長（団長）。委員会の報告書は、満洲事変を日本の侵略行為と断定した。

五福堂移民団の営農統計

〈本体入植期〉営農二年目（一九三九年〈昭和一四〉）の初め、新潟県各市町村の農会技手の視察団が来訪。堀忠雄は五福堂移民団の労働統計を好意で見せるが、新京での評価会で、その統計をもとに激しい批判を受ける。

小野元吉農事指導員の精密な頭悩で、五福堂移民団の統計が出来上がっていた。この統計が出来上がるまでの一ヶ年は、二百十二名の団員の毎日労働する総てが記録されたので、毎日、本部に、揚生屯班（ヤンシュントン）と張広衆班（ジャンガンジー）から其（そ）の日の実績が連絡員によって持ち込まれた。小野指導員は、一切に渡って検印し、作業計画の手配をしていた。炊事、建築、畜舎作業、普通作、園芸、連絡、土木、病欠、警備、客人の送迎と、一人の動向さえ欠けることなく集計されて行った。三六五日の統計だから、216×365＝77、500（ママ）人の生活が延（のべ）人員で記録されていた。この統計で、警備人数は五、〇〇〇人を越していて、普通作労働人員より上廻っていた。屯墾隊（とんこんたい）とは言わなかったが、その労力だけでも膨大なものだった。又、五福堂移民団を視察する来客の延人員は、三千人を越していて、この人達に現地説明するのは、主として私の担当であり、この統計も明らかにされていた。

たまたま、新潟県より各市町村の農会技手連中の視察団が来た。その隊長格の人は、県農会技師榎本善太であり、彼は駒場〔東京帝国大学農学部〕出身、云わば、私の先輩格の人であったから、親切にした積りから小野指導員の作成した統計を示した。恩が仇に報いられたとも云うべく、新京に視察団が集って視察の評価会をやった時、山形、長野の視察団からは、特別の問題〔は〕でなかったが、新潟視察団から提出された。それは斯うである。

「五福堂移民団は団長、指導員の専断から、移民者が最も必要な農耕作業には、せいぜい延一万五千人位しか動員されていない。そして警備労力に五千人以上。其他非生産的な労働が強制されている。これは、明らかに経済活動ではなく、国策という名目の強制労働ではないか」というものであつた。

開拓地のことは、何でもよく知つている中村孝二郎、稲垣征夫も、これには閉口してしまい、「団長を呼べ」となって、私宛電報で呼び出し状が発せられた、ということであった。私は何事かと、納得ゆかぬまま通北駅を午前八時頃の汽車ハルピン行に乗つた。ハルピンに一泊し、翌日、急行「アジヤ号」で新京にかけつけたら、拓植委員会では稲垣局長が「堀君、どうしたんだ？」と云い、満拓経営部長中村孝二郎をも電話で呼び出して、三人で話し合った。

「どうも、新潟県の視察者達は馬鹿に感情的だったが、何があったのか」

私は思い出せなかったが、よく考えてみたら、私の説明と彼等の質問との間に、私の言ったことに、とうてい納得のゆかない点*があったことを思い出した。それは斯ういうことである。

榎本技師が、「今のやり方では採算などとれる筈がない、団長の考えはどうか？」ということに対して、私は次の様に述べた。

「開拓事業とは、社会事業的なことで、一から十までやらなければ生きてゆけない。それよりも大事なことは、精神的動揺を起こさせない様に配慮しながら、しかも訓練を重ねて強靭(きょうじん)な心の持主にしなければならない。営農第一年目から、漸く(ようや)第二年目に入ったばかりで、これからも動揺期が来る。青年達は経済的に採算がとれるから、移民団に居るのだと判断するのは間違いだ。例えて云えば、今は、開拓大学に在学中と同じだ。大学を卒業しないうちに月給をもらう経済活動がない様に、今の移民者達は、そういう在学中と考えて下さい。諸君が今(は)、十分月給をもらっている技師でしょうが、大学にいる時はどうだった。皆親の「すねかじり」だったでしょう。たとえ大学を卒業したとは云え、就職する時、背広服もネクタイも靴もカバンも、皆親からもらったお金で調達したでしょう。未だに親に恩返しをして、在学中にもらったお金を親に返金している者だって、そんな、い無いでしょう。我々の移民団は、先(ま)ず匪襲(ひしゅう)から防

＊ **とうてい納得のゆかない点**　『五福堂開拓団十年記』に記された一九三九年(昭和一四)の視察の翌年にも、新潟県農会は弥栄村、清和開拓団、五福堂開拓団を視察している。その報告書である新潟県農会編輯『満洲開拓地調査報告』(新潟県農会、一九四〇・一一)には、五福堂開拓団の農業経営に対する厳しい批判が見られる。なお、この報告書は「若い婦人方に開拓地の生活を尋ねると、皆一様に此方の生活は伸び伸びしてゐるので、内地より良いと答へられる」、「以前は団長以下幹部が専横であったため団員が喜んでついて来なかつた。現在の団長は真面目で、団のために良く心配される」という五福堂開拓団員の声も記している。また、報告書中の調査団の座談会では、満洲農業移民政策そのものについての本質的批判も行われており、注目される。

衛されなければならない。又、若妻達が「お産」される。決って夜に産婆さんが呼び出される。その時に、道中の護衛は、皆、移民の中の独身者達がその任務につく、そして分娩するまで、何時間も銃を手にして外で護衛をしているのだ。榎本技師の質問される点は、少し的はずれではないか…」と、私が反撥したことが、仇を〔な〕したことが解った。

稲垣征夫は、笑いながら「堀君、あまり、まともなことは知らさないことさ。日本から官費で満州視察に来る者ばかりだから、何か数字を持ち帰らないと駄目だし、ことに移民事業の失敗を示唆する事柄を把みたがっている者が多いのだから、むしろ適当に扱うことが、却ってお国のためになるんだよ……」

氷の入ったコーヒーが運ばれて来た。何ヶ月ぶりに飲んだコーヒーはうまかった。用件が済んで、私は一人で新京の街を歩るいた。現地の草原ばかりで生活して来た私にとって街の灯は、眼にしみるほど強烈な刺戟を与えた。

沃土万里

〈家族招致期〉一九三九年（昭和一四）、五福堂開拓団で日活映画「沃土万里」のロケが行われる（『五福堂開拓団十年記』が映画の公開を「昭和十三年の秋頃」としているのは記憶違い）。揚水ポンプによる水路への水の導入成功の場面を撮影。一九三八年にポンプを用いた試験田が作られ、秋には稲の収穫があった。農事指導員・小野元吉はポンプを用いた水田拡大を計画するが、経費の安い自然流水利用にこだわる満洲拓植公社土木部長・加藤久男が拒否。加藤案に基づいて百町歩の新規開田が行われ、団員たちはその完成を心から祝う。

日活映画「沃土万里(よくどばんり)」*が公開・封切されたのは、確か、昭和十三年〔一九三八年〕の秋頃だった。原作・監督は倉田文人(くらたふみんど)*、主演江川宇礼雄(えがわうれお)*が満洲開拓団長の役柄、農事指導員の役は佐藤(さとう)円治(えんじ)*である。

倉田文人は私と相談して、五福堂に於(お)けるロケーションは、開田の堰(せき)止め工事と、水流の側(そば)で開田成功の歓喜を移民者達が絶叫する場面であった。

柳沢正二郎は、口を開くことが嫌い〔な〕のか、必要最少限度しかしゃべらない。黙々とデーゼルエンジンの調子を整え、揚水ポンプの汲みあげをじーと見守っていた。

呼裕児河(ホイルホウ)を堰き止めた丸太杭が流れに押されて、柳条(りゅうじょう)〔柳の枝〕のがっしり組まれたシガラ〔柳条で交互に組み合せ、土俵で水流を堰止める〕が破られて、本ものの移民団員も、俳優の演ず

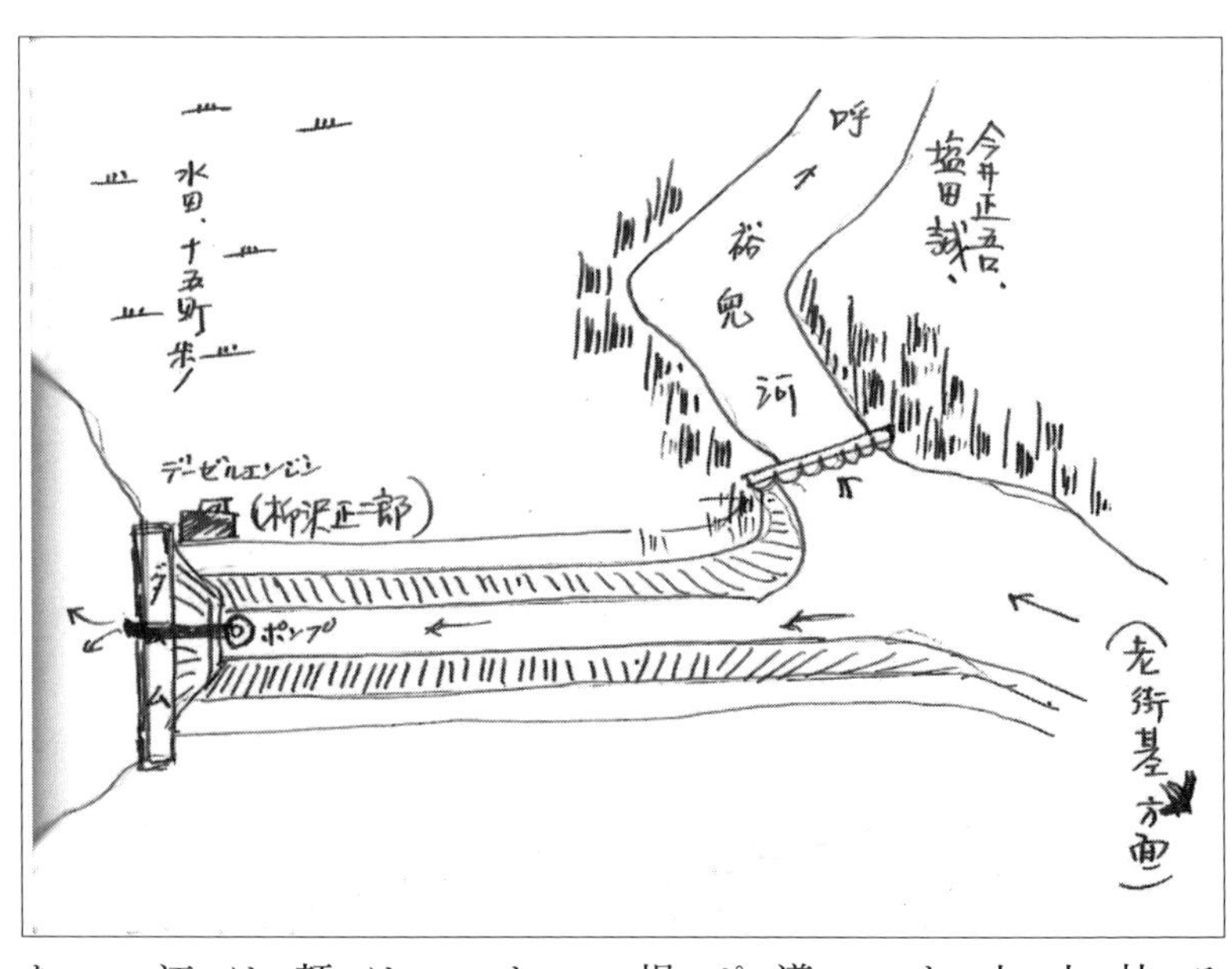

る開拓者達も水中に飛びこんで、水中で丸太杭を打ち直し、土俵をたたきこんで破られた水流に挑みかかった。一分の休む間もなく、水しぶきをあげ、胸のあたりまで水に浸たりながら働いていた。

団長役の江川宇礼雄は戦闘帽をかぶり、指導員の佐藤円治から作業の状況をききとり、ポンプの据えてある二百米（メートル）の水路の最後の場所が、刻々と水面が上り始めると、デーゼルエンジンは音たかくうなり出し、パッパッと吹き出す白煙があたりに香を散らした。

柳沢正二郎の顔は厚味があり、単調な顔付は、本物の俳優たちでは近より難い農民像の顔立ちで、他人がどんなに歓（よろ）こぼうが、顔面は動かず、素朴さを持ち続けていた。やがて、江川宇礼雄は、開拓者、本物の移民者、エキストラ達が、一斉に歓呼の声で万歳をしたのを感慨深く眺めた。五福堂の荒野に、大傷を作ったような水路に水が流れこんだのが、ポンプの力で六米（メートル）もあるダムを越して、田圃（たんぼ）に注がれた。

この設計は、満拓の加藤久男土木部長が、[*] 現地派遣技師百瀬外（ほか）数人の満拓社員によって、試験田十五町歩（ちょうぶ）が〔を〕完成したものである。

小野元吉農事指導員は、海北鎮から朝鮮人の水田経験者を連れて来て、栽培の方法を実際に

---

* **日活映画「沃土万里」** 一九四〇年（昭和一五）二月一日公開、日活（多摩川製作所）製作映画。倉田文人原作・脚色・監督（文化庁「日本映画情報システム」https://www.japanese-cinema-db.jp/Details?id=21278、NIKKATSU「日活作品データベース」https://www.nikkatsu.com/movie/13789.html〈二〇二一・一〇・二六閲覧〉による）。「朝日新聞（東京版）」には、「沃土万里」撮影のために日活俳優部隊が、五福堂で四日間クランクし、一九三九年八月一七日に帰還したことが記されている（一九三九・八・一九付夕刊三面）。『十年記』は「昭和十三年秋頃」の封切とするが記憶違い。
* **倉田文人** 一九〇五（明治三八）〜一九八八（昭和六三）。映画監督。日活太秦（うずまさ）撮影所に入社、後に同多摩川製作所に異動。戦前は農村生活を描いた映画を手がける。敗戦後の代表作に「ノンちゃん雲に乗る」（東映）。
* **江川宇礼雄** 一九〇二（明治三五）〜一九七〇（昭和四五）。映画監督、俳優。父はドイツ人。松竹、日活、東宝の俳優として活躍。里見弴（さとみとん）原作映画「多情仏心」（日活・協同映画社）などに出演。敗戦後は新東宝などに所属。
* **佐藤円治** 一八九七（明治三〇）〜一九七一（昭和四六）。俳優。日活で脇役として活躍。大映創立によりその会社業務担当に転じた。なお、佐藤は堀忠雄の義姉の遠縁（『榾火』三四頁による）。

教えてもらった。草も刈られない荒地に水が湛められ、厚板のハロー（ならし板）を、若者達は、その上を引きずって種を地面に落ちつかせた。

陸の雑草は、タップリ湛水されると自然に弱って行った。そして、稲の芽が逆に伸び始めた。日本では、かつてこんな乱暴な稲作りなど想像も出来なかったが。朝鮮人達は、自信タップリで移民団を指導していた。

現在の言葉で云えば「直播栽培、不耕起（農地を耕さない栽培）播種」とでも云うべきものである。稲の苗は伸びていた。深く湛水された、不耕起の原野に水が溜っていて、稲の苗も伸びていたが、陸の雑草は死んだものもあったが、水草に似た雑草は、未だシャンとしていた。今井正吾が先達者になって、朝鮮人に教えられた様に作業をしていた。

日本から、東大の育種学博士の宗正雄*先生が、学徒至誠会を引率して、五福堂移民団に視察に来た。私は、宗博士から育種学を習ったのは七年前であり、難しい理論など記憶に残っていない。私は宗博士に朝鮮人技術を説明した。

理論は一切抜きにして作業慣行を説明した。私は朝鮮人のやり方に疑問をはさまないことにして、農事指導員の小野元吉に委せていたから、宗博士の云う、積算温度（一定期間の各日平均気温がある基準値を超えた分の合計。農作物の生育条件の指標）だの、地温（地中の温度。農作物の根の環境の指標）だのに対しては、何一つ答えられなかった。

「堀君、こんなもの、ものになる筈がないよ…」

「いや、先生、ものになったら、東京に私は持ってゆくから、先生・・・それまで楽しみにしていて下さい…」

稲の籾(もみ)を播(ま)く。

何時(いつ)の間にか、野鴨(のがも)が籾を見つける。

鴨は、夜になると集中して水田に飛んで来て、籾をあさった。あまりにも多くの群がる鴨の羽数に対して、とうとう小野指導員は夜警当番を、つけることにした。

「どうやって群がる鴨を追い払うか?」これも新しい現象であった。

誰が考えたのか、水田の畦畔(けいはん)〈水田を囲む盛土〉にトロ火を燃やし続けることも試みた。縦網を張って、鴨が飛び込んで来るのを待った。風を切って、羽音(はおと)がしきりにした。

満洲の水田は鴨との闘争に先(ま)ず勝たねばならないのだ…という経営の「コツ」が、団員の考え方になってしまった。

やがて秋が来た。

---

* **加藤久男**　一八九六(明治二九)～没年未詳。満洲拓植公社職員。京都大学農学部卒。農林省・拓務省勤務を経て、満洲拓植公社建設部土木課長、工務部長(『満洲紳士録』〈『満洲人名辞典』所収〉、『満華職員録(康徳九年・民国三一年版)』による)。一九四一年(昭和一六)に、満洲拓植公社土木部長に在職(『満洲職員録 康徳八年度』〈満洲日日新聞社、一九四〇〉による)。

* **宗正雄**　一八八四(明治一七)～一九八〇(昭和五五)。農学者(育種学)。東京帝国大学農科大学卒。東京帝国大学教授。著書に『農地法と思想国防』(二松堂書店、一九三七)、『共栄圏の農業と大和民族の発展』(時代社、一九四四)など。

九月十四日には第一回の霜が降りた。そして、秋がしんしんと更けてゆくのが北満である。今井正吾は稲刈をする采配をふっていた。霜枯れた水田の稲は、黄金の波をうっていた。蝗も多く居た。鴨はもう近づいて来ないで、上空を一線になり、曲になり飛び交う様になった。

私は宗正雄博士との約束、実ったら東京に持参するために、株をひきぬいて、標本を作った。

小野元吉農事指導員はすっかり自信を得て、拡張工事の設計にとりかかった。塩田誠、高橋伊吉が主任となって、素人の平板測量〔現地で、平板上の図紙に作図する簡便な測量法〕による高低測量を始めた。

小野指導員の思う通りに仕事を続けた。これに先頭立って仕事を指揮していたのは、綱島信平と田口弘保であった。満洲の晩秋、午後六時ともなればすっかり暗くなった。水田の新しい水路掘鑿作業班は、夕暮と共にスコップを肩にして、軍歌をうたい〔な〕がら、岩船部落の丘から下りて来た。来年への期待をかけながら、一日は暮れて行ったのである。

小野元吉は何事にもひどく凝る性分であった。

事業に凝って自分を賭ける気持になっていて、夜になって、妻マツの側にいても、水田の設計に夢中になっていた。妻マツは退屈してオンドルの部屋にゴロンと寝そべって、床に入る元吉を何時間も待つ、という日常を繰り返していたのである。

私は愈々本格的に開田予算編成をして事業拡大の計画をするため、新京満拓本社の土木部長加藤久男を訪ねた。私の説明〔の〕しかたが悪るかったか、加藤部長は機械灌漑設計を認定することが出来ないと強く反対したので、とりつく手が無かった。私は移民団長のなかで最年少者であり、云わば向う見ずの高姿勢な男であったから、加藤久男部長とは肌合いが悪るかった。そんなことが仇して、遂に両人の意見主張は平行線に対立し、止むなく五福堂に帰団してしまった。

事情を詳しく告げたら、小野元吉指導員は悲壮な決心〔を〕したらしく、顔面がこわばってしまった。翌日、綱島信平が作業連絡に来て、小野元吉の異状興奮情況に暗いものを感じたまま、岩船部落の東麓作業現場に歩いた。田口弘保は歩兵軍帽をかぶり、土方の様に腹巻をして幹線水路を構築していた。

数日経て、小野元吉は辞表を携え、私の団長室に来た。「団長さん、骸骨を乞いたく〔官に捧げた身を乞い受けること〕…決心して来ました」……

「小野さん、唐突に云われても困ります」

私達の身分は拓務省嘱託で、団長、指導員という職名の辞令で働いているのではなく、そういう職名は、世間一般の慣習と、現地生活の統括・命令系統を〔の〕不文律で決っていただけであった。私は、至上精神主義と、辞令という事務主義とを混合させて、小野指導員の言葉のニュアンスに合せて笑談混じりで語り合った。

「朕は誰れに骸骨を乞えばよろしいか……」と明治天皇が御発言されたとか、聞いていますが、今の私は朕でもなく「睾丸」である。その私にどうして、「骸骨を乞う」という上品な言葉で意志表示するのか。

「睾丸」は…「どうすればよいのか」

まさか、私も一緒に辞職しましょうでもないし、私は移民団長として肩書が無くなることは、「戦死」だけだとしか考えたこともない。ただ世襲制度だとは考えてもいないし、むしろ否定している。但し、指導員は、いずれの機会に後続移民団の団長となって、百万戸、五百万人の大移民事業の先達者にならなければならない運命だと信じて来た。

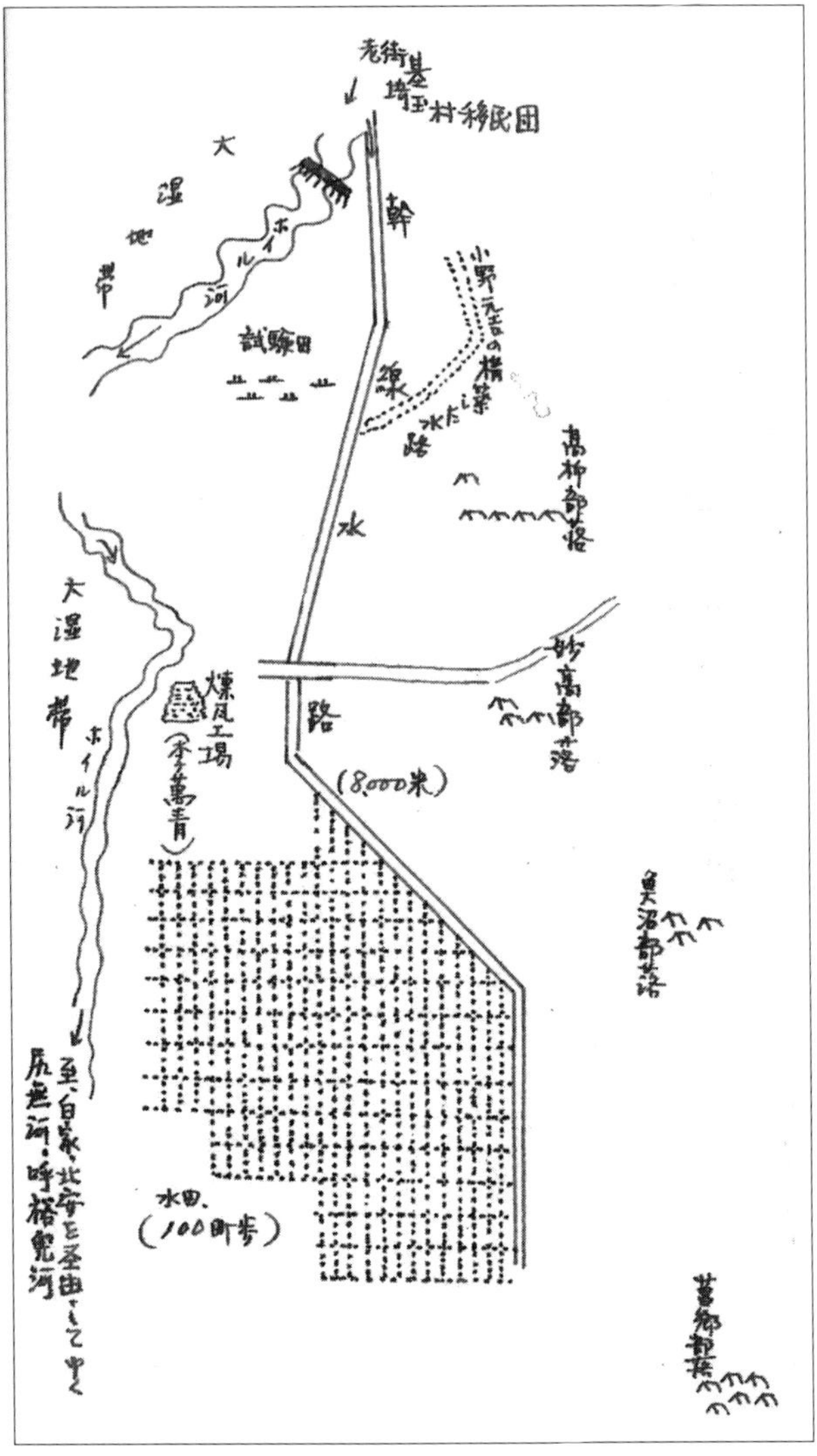

「もう少ししたら、必ず満拓から百瀬や小林等が開田方針について現地調査〔に〕が来るだろう。その時は徹底的に検討してみようではないか」
「団長さん、今の幹線水路構築作業は中止しますか」
「大部出来たので捨てるのは惜しいが、あれをどう利用するかは、百瀬技師が来た時に相談しようではないか」

水田経営の方針は岐路に立たされた。

満拓は、灌水を自然流水の取入口と開田用地を結ぶ維持費の安価が、永続的事業だと云い、小野指導員は、満拓のやり方をやれば、田圃になる用地は、湿地帯であるから深層に永久凍土層があるから〔って〕地温が上昇しないから、安定した稲作が出来ない。開田予定地百町歩の用地内は、土地条件がまちまちで、二百戸の移民者に配分するのも非常な困難と、或いは水田放棄者を出す心配をかかえている・・・・という理論*を主張していたのである。

＊**（小野指導員の）理論**　『榾火』三四〜四〇頁によれば、小野は北緯四八度、標高三四〇メートルで水田耕作を成功させることが、五福堂開拓団の定着の鍵と考え、朝鮮式水田耕作法（導水路からディーゼルエンジンで多量の水を水田に供給し、深い水中で稲と雑草を競わせ、稲を勝たせる方法）を試験田に導入し収穫を得た。そこで小野は導水路の開鑿の拡大を計画したが、経費の安い自然流水利用にこだわった満洲拓植公社土木部長・加藤久男がこれを拒否。満拓設計の水田は地温が上がらず一粒の収穫も得られなかった。

綱島信平も田口弘保、村上秀義、塩田誠、今井正吾も斯うした理論的論争には、意見を出さなかった。

私は、加藤久男部長とは、小野指導員理論を基調として主張し、百町歩の開田は急にやらなくてもよい、東大の宗正雄博士が疑問をなげかけて行った理論を再考し、朝鮮人の土地選定の勘を信じて、今の小野理論を事業の規模と〔すればよいと〕考えていたが、加藤久男部長の設計料四万円主張に対する私の拒否事件が解決しそうもないので、グラグラした態度をとってしまった。

私は最初のインスピレーション（直感・決断）に反した〔て〕動揺をすると、必ず事業に躓きがつきまとう…という、迷信に近い感じを持ち続けていた。この沃土万里もそんな気がしてならなかった。

昭和十四年〔一九三九年〕の二月頃、私は山形県の満洲移民募集事業の現地報告員として帰国した。この時、宗正雄博士に見てもらうべき「実った稲穂」を数株手にして東京高等農林学校*を訪ねた。昔、府中にあったこの学校の用地は、灌木林であったのが、すっかり開拓されていた。

宗正雄博士の研究室を訪れたら、学生達の会合「満蒙研究会の集会」がなされていて、リーダーである梶原勢一*に紹介された。

（注）、梶原は後、大同学院*に入学し、満洲国官吏となり、北安省の事務官となり、水田経営に反対し、後、

通河県副県長となった。

終戦のときも在県していて、通河県・方正県・延寿県の日本人開拓団の避難・難民生活の中に入りこんで、日本人救済をしたが、中共軍に捕らわれ、昭和二十一年（一九四六年）春、佳木斯に於て銃殺された。

山形県の雪深い奥地農村まで、県庁の柴田主事、移民送り出しの協力者鈴木勘三郎と三人で入って行った。「満洲に移民する」という決心は、簡単になされるものでなく、一家の運命を決めるという一大事であることを、額に皺を寄せて考えこむ農民に接して、私はしみじみ今の移民団長という仕事の重大さを教えられた。

「土地の少ない、経済に恵まれない運命を持ち続けた農民と一緒に人生を歩るいてゆこう……という私の任務に背かないように」と……雪に埋れた地蔵尊の側を歩るきながら祈りたい

＊ **東京高等農林学校**　駒場にあった東京帝国大学農学部実科が、一九三五年（昭和一〇）に文部省直轄の実業専門学校「東京高等農林学校」として独立。同年、東京府府中町（現在の府中市）に移転。現在の東京農工大学。

＊ **梶原勢一**　一九一一（明治四四）～一九四六（昭和二一）。「満洲国」官僚。東京高等農林学校卒。北安省公署開拓庁事務官（『満華職員録（康徳九年・民国三一年版）』による）。『榾火』七二頁によれば、梶原は北安省開拓科事務官となり、「開拓政策は食いかけ饅頭だ。どこを見ても半端だ。開田をしては水田を捨て、野菜作りは上手だと云っても、市場には、とんと出て来ない。移植日本馬はどんどん死ぬし、これではおかしいぢやないか」と開拓政策を批判した。

＊ **大同学院**　一九三二年（昭和七）に設立された、「満洲国」国務院所属の、「満洲国」一般官吏養成・研修機関。

気持ちで、山を降った。

山の彼方の空遠く
幸住むとひとのいう……＊

名詩の実感が〔を〕、ひしひしと覚えた。

任務終えて、五福堂移民団に帰った時は、もう新年度の事業準備で忙しくなっていた。小野元吉はすっかり立ち直って、新規開田、百町歩、満拓の計画受け入れが決まり＊、移民団は活気づいていた。

沃土万里、日本人のイメェージを託して、五福堂移民団の百町歩開田事業が着手された。

試験田時代が過ぎて、六、七倍も大きい規模となる開田事業には、五福堂移民団は総動員された。水路掘鑿現場には満人苦力を動かす、北安の山田が請負いをし、小国部落の高橋伊吉がこの監督に当った。本田の開田と作付計画は、村山秀義が先頭に立って、多くの営農ベテラン達が動いた。

深い幹線水路を掘鑿することは、堤防にベロベロの泥を投げあげる作業であった。機械を使わない人海作戦だったから、その困難は一層ひどかった。長い柄のついた大きいスコップに泥を掻き入れ、堤防の上に二人の苦力（日傭労働者）が縄でひき投げる作業が、毎日続いていた。

春、酣なわになると、嘘みたいに季節の渡り鳥がやって来る。北満の湿地帯、沼を求めて南国から帰って来た雁、白鳥、鶴、野鴨など無数に飛び交い、雌を呼ぶ鳴き声、風を切って飛び去る羽音で、五福堂開田予定地がにぎわった。この鳥達は、水田を経営する私達の事業には却って邪魔になる。移民団員は思い思いに網をしかけて、飛び降りて来る鴨を捕えた。
鴛鴦の游泳を発見してはチョンガー（未婚の開拓者）達は、「俺もああなりたいなあ…」と、大陸の花嫁を迎える自分の将来を語った。

＊**山の彼方の空遠く……** ドイツの詩人、作家カール・ブッセ（Carl Busse 一八七二～一九一八）の詩 Über den Bergen［山のあなた］の上田敏訳（『海潮音』〈本郷書院、一九〇五〉所収）の一節。「山のあなたの空遠く／「幸」住むと人のいふ。／噫、われひとゝ尋めゆきて、／涙さしぐみ、かへりきぬ。／山のあなたになほ遠く／「幸」住むと人のいふ。」（一〇九～一一〇頁）。

＊**新規開田、百町歩、……** 満洲拓植公社による、自然流水による百町歩の新田開発。『梢火』三四～四〇頁には、「二年目の水田も成功した」とあり、一九三八年（昭和一三）、三九年に稲の収穫があったと記す。満州拓植公社は一九三八年の成功を見て、百町歩の新規開田を計画したとするが、その完成の年月は記さない。一方、本書一六五頁には、「昭和十四年（一九三九年）の水田は百町歩、すべて青立ちになって／霜枯れた」とある。①『梢火』が水田が「三ヶ年で完全放棄された」（三八頁）と言い、『五福堂開拓団十年記』も「三回もの不作、凶作、青立ち」（本書一六七頁）とし、②水田開発を断念した小野元吉が、一九四一年冬から「いぶき寮」建設の資金集めに奔走するようになることによれば、百町歩の新田は、一九三九年、四〇年、四一年に収穫がなかったと推測される（一九三九年は試験田のみ収穫があったか）。堀はこの状況を踏まえて、水田集落創設の中止を決断。それだけに、新田完成の団員たちの喜びを伝える本書一四八～一五一頁の記事は痛ましい。

時々遠い草むらから、おけさ節*が流れた。きっと移民者達は、水筒に入れて来たチャンチュ（焼酒）（高粱（コウリャン）などを蒸留した強い酒）をひっかけて、度を過したのだろう……

斯（か）くして、水田、百町歩（ちょうぶ）は完成した。

小野指導員は完了祝いに赤飯を炊かせて、全員に祝った。小野元吉は、心の満足した時にうたう詩吟「平忠度（たいらのただのり）」*の一節を朗々と歌った。

そして後まわし（一曲歌い終わった後に付ける一節（ひとふし）か）には、定（きま）って「ああそれなのに、それなのに…ネエ、罪なのは…罪なのは、アア、団長さんだよ…」と軽い抵抗節（恨み節か）をつけ加えた。

〽来（こ）いちゃ来いちゃに二度だまされたョ
　またも来（こ）いちゃで、だます気か（尾崎紅葉*）

〽佐渡へ八里の荒海越えてョ
　鐘が鳴ります寺泊（てらどまり）

〽おけさ踊りに　ついうかうかとョ
　月も踊るよ　五福堂（ごふくどう）

山でインヨ、伐（き）る木はたくさんあれどョ、
思い切る気は、ヤーレ、さらにない

あらし畑の莢豆（さやまめ）は
一莢（ひとさや）走れば、みな走る
わたしや、おまえに　ヤーレ　ついて走る。

新潟村の移民者がおけさ節を唄い出したら、止まることを知らない。誰れかが歌えば、次はこっちから歌う。少し酔が廻れば長沼忠治は踊り出す。

前唄と送り唄〔民謡の本唄の前の導入と後の添え唄〕の器用なのは渡辺三郎であり、正調おけさ踊の替歌（かえうた）で忙しく踊り、やすき節（ぶし）*の踊りと雑交した様な農民の歓喜を身振りで示すのは、浅間熊太郎であった。

---

* **おけさ節**　新潟県の代表的民謡。恩返しのために猫が女性に化けて歌い踊ったのが「おけさ節」であるという昔話がある。
* **詩吟「平忠度」**　「詩吟」は漢詩の読み下し文などを、節をつけて吟ずる芸能。「平忠度」は、源平の争乱で、都落ちする平家の武将・忠度が和歌の師・藤原俊成（ふじわらのしゅんぜい）に和歌を残して別れを告げるという『平家物語』の一節を吟じたもの。
* **尾崎紅葉**　小説家。一八六七（慶応三）〜一九〇三（明治三六）。「来いちゃ来いちゃ……」について、山本修之助『佐渡の民謡』（地平社書房、一九三〇）は、一八九九年に紅葉が佐渡を来訪したときに、芸妓・糸の三味線の胴に書いた歌で、紅葉の作とも紅葉以前からの歌ともされるとする。紅葉と糸の関係については諸説ある。

〽石瀬(いしぜ)ヤ、岩室(いわむろ)、片町や山だ
前の濁り川、すっぽん、亀の子、泥鰌(どじょう)が住む。

と、自分の出身地よりほど近い西蒲原(にしかんばら)岩室甚句*を今井正吾が歌うと、本場の鈴木哲夫や後藤久治が催促される。この二人はよほど歌は苦手であるらしく、場が白(しら)けた。

どんなに場が白けても、「新潟おけさ」に戻ると、歌が好きだとか、文句は知らない人だとかの区別なく、開田、百町歩(ちょうぶ)の心の記念日は、賑やかになった。

〽おけさ正直なら、そばにも寝しょがョ
おけさ猫の性で、じゃれるから。
〽おけさ見るとて、葦で眼を突いたョ
とかく、おけさは、眼の毒じゃ

……

〽閻魔(えんま)まえなる茶屋の嬶(かかあ)
あれを地獄へやらぬとは
さりとは閻魔もよてを引く
〽米山さんから雲が出た

いまに夕立が降るやら、ピッカラ、チョッカラ、ドンガラリント
　音がする　　ア、音がする

と新潟のよどみ深い民謡の里で育った五福堂移民団員は、次第に興を深めてゆくのであった。

＊ **やすき節**　安来節。島根県安来市の代表的民謡。のちに盆やざるを持って陽気に躍る「どじょうすくい」の振り付けが加えられた。今日では「やすぎ節」と言うのが一般的。

＊ **甚句**　民謡の一種。七・七・七・五の四句形式。節は各地で異なる。新潟甚句などがある。

大陸の花嫁達

〈家族招致期〉五福堂移民団に渡ってきた団員の妻たちの生きざまを描く。子に恵まれなかった妻、今ならばまだやり直しがきくと夫とともに退団していった妻、電話交換手の仕事を通じて移民団になじんでいった妻、夫との考え方のずれから東京に去った妻。妻たちの、苦悩と闘う力は、移民団の希望の道を拓くものであった。

この項に記される氏名は、総て移民の妻達である。名前の記憶が薄れてしまって、本名を思い出せないから。

「長沼さん、いつお産なの」

「もう、とっくに予定日が過ぎたんだど」

「オカシイワネ」

夫、忠治が五福堂から家族招致の旅に出発した月日。それから汽車。清津から船に乗る。新潟港に到着。新潟県庁に挨拶して汽車かバスで月潟村まで帰るには一日もかからない。

どうも、その夜に妊娠したとして、二百七十日を逆に指折り数えても、何んだか日数が足ら

ないぞ・・・

「長沼の野郎、ボヤボヤしてるから、嬶は、他人の種をはらんで来たぞ…」

「オイ、バカヤロー、そんげなこと云うと、彼奴、やきもちやいて、嬶をいじめると悪るいぜ、黙っていろ…」

こんな話題は杞憂に過ぎなくなってしまい、山川産婆の鑑定とは違った数週間後に、五福堂診療所で無事分娩した。本部に創設した診療所は、お産で賑わった。開拓団で、どんどん増産されるのは子供だけ、膨れあがってゆくのは嬶の腹だけ…と男達は悪る口をたたいた。

小野元吉農事指導員には子供がなかった。先妻にあった娘は大きくなって、内地で別の暮しをしていたが、今の妻マツは、何回妊娠しても満足に分娩出来なかった。元吉は時々「お前は牛の流産菌〔妊娠した動物に胎盤炎を起こすブルセラ菌〕を宝物の中に抱えているんだ…」とひやかした。マツが村の青年学校に裁縫の助手として勤務している時、小野元吉が手に入れた女だと岩船郡出身開拓団が評判した通り、元吉は妻マツを、惚れ女房として可愛がっていた。マツが妊娠して、悪阻が長く続くと、高柳部落の高橋義松の妹がお手伝いにやって来た。高橋は静かな女で、年は二十才を越えたばかりだが成熟していた。あまり丈夫な体質ではなかったが、マツと仲よく暮していた。

やっぱりマツは流産してしまった。

植木由栄は、フォード自動車を運転、中村寅吉は、シボレー・トラックを受け持っていた。

内地から花嫁が通北駅(トンペイ)に着く日は、必ず迎えに出た。
「どうも、家族招致で大陸の花嫁が到着する毎(ごと)に、だんだん、美しい女が来る様になった」「お前、女に餓(う)えているから新品の女が美しく見えるのさ…まあ、しばらくは睾丸(こうがん)を握って寝るんだなァ…」「やれやれ、チョンガー〔独身男〕は辛いね。所で老街基の岡野良一農事指導員のカアチャンは美人だぜ…小野先生の奥さんも子供が無い人だからだが…なんと比べもの〔に〕ならないほど美人だった」

通北の駅で、家族の到着を待っている時の男達の話題ははずんでいた。

私の妻子〔妻史子と孝範〕が通北の駅についたのは、昭和十三年〔一九三八年〕の十月であったが、荷物を抱えて二等客車の汽車から降りたら、植木由栄と中村寅吉は〔が〕ポンポン走って迎えに来た。

通北駅には高い給水塔が駅構内に入る左側に立っていた。構内の右側が駅のトラックになっていて倉庫があり、駅舎がポツンと立っている。駅前の馬車溜(だま)りは土盛りされて駅と同じ高さであるが、トントンと坂を下って、道路が通北駅から県城に続づく。私は植木由栄のトラックに乗った。満人の馬車夫の杜(ド)は、しばらくぶりの面会で「団長(トンジャン)、回来了(ホイライラ)、日本国恁麼様了(リーベンゴアゼンマヤンラ)」〔団長、おかえりなさい。日本国はいかがですか。〕と笑いながら帰団の挨拶をしていた。馬車夫達は汽車から客人が降りて来ると、大声をはりあげて客寄せをする。一台のハルピン馬車に、たいてい三人の客を乗せて走り出すのである。開拓団の新しく到着した花嫁達は皆、団のトラックで走るので、馬車夫達は声をはりあげて「今日は誰の嬶(かかあ)が着いたんのか」と、相手なしの話題で賑(にぎ)わった。

五福堂移民団員の既婚者家族の家族招致が、ほとんど終ってから、新婚、大陸の花嫁達が続々と渡満して来た。既婚者の妻達は、顔に百姓生活の「しみ」がついていて、落ちついていた。子供や年寄も混っていて、一家族、数名の生活体が到着したのだという印象を発散していた。

平林部落は大家族が多く、年寄衆も居た。高柳部落もそうであった。高野長蔵の妹、光子(ミツコ)は、私の家に初めから手伝いに来てくれていて、ほとんどの花嫁は団員に連れられて、私の家に到着の挨拶が〔に〕来るから、よくお嫁さんの顔を、一人一人、しげしげと眺めて評価していた。

先遣隊の幹部格であった長谷川仙三郎の妻は、東京〔の〕デパートで働いていた女で、美しく、よく働き、新潟の方言などちっとも入れないで話す〔し〕、歯切れのよい言葉を使って、新潟農村の中でくすぶった様に生活して来た嬶(かあ)ちゃんや娘達の憧れの女にされていた。

数ヶ月経てから、突然、私に、仙三郎と妻は連れだって興奮し、相談に来た…と云って現れた。「何、君等退団するッて…？　どういう理(ママ)か話してみなさい。移民というものは、数ヶ月で解るものでなく、日本ではとてもやれない、広い畑を耕やす農業を何年もかかって創り出すのだ。今直ぐ良くなるものでもないから、それまでの辛棒だよ…」妻は静かにきいていたが、やがて「妾(わたし)はそうだと思って、一生懸命働いて見ました。仕事が辛いばかりが退団の理由でありません。私は、どう考えても、妾達が二人で考えて、二人の将来だと考えて見ると、どうしても妾達にピッタリ合わないんです。

今の様な苦労する位なら、日本内地でやれば必ず生活が報いられます。妾はそういう自信があるし、長い年月が〔を〕経てから、仕事に成功しなかったから退団するというより、今のうちに退団して日本に帰って、やり直したいのです。どうぞ団長さん、許可して下さい・・・・」と長谷川仙三郎も新妻も懇願するのであった。

光子はこの話をきいて、私に向って「団長さん、あたしの憧れの女だったが失望したワ…」と残念がった。

光子の顔は健康色に溢れていて、長谷川の妻の様にすき通った肌ではなかった。私は光子を見返した。光子は数年経て、北魚沼部落の森山信吉の妻になって妊娠した。

後藤久治と春日留雄が指揮して、本部の北の畑に麦播きを始めた。満洲の麦は、春、大地が融け、犁が入るようになると、一番最初に播くのが小麦である。共同経営二年目で、作業は共同であった。魚沼部落の田口弘保の妻が細道に腰をおろし、若い妻達も働き始めたのに、じーとして働こうとしない。後藤久治は、チョンガーであるのに、他人の妻に対して「コラ……早く働くんだ、休んでばかりいては、ダメだよ…」、と畑の中から怒鳴っていた。

数日経て、田口弘保は妻を連れて私のところに来た。

「団長さん、妾は、畑仕事は生れて初めてやりました。慣れていないので、一日、あんなに働かされると、午後になると、もう手足が動かなくなるワ…私は、何かもう少し疲れない仕事を与えてもらいたいワ……」

「いいよ、…明日から、袴をはいて、本部に出勤して来て下さい。あんた東京のデパートにいたんだそうですね」

「ええ、慈恵会〔未詳〕のショッピングをやっていました」

「慣れないうちは大変なんだ。昨年は長谷川仙三郎の妻も、とうとう手をあげてしまったから、解りますよ。明日からは本部に来ればよいから」そして、田口弘保の妻、二番目のデパート・ガールは、本部で十五回線の電話交換手となった。五福堂開拓団の各部落に電話を架設し、富山富三郎が特別講習をうけて、実力技師になっていた。日中は田口さんがその交換台に坐（すわ）り、夜は鈴木礼司が之（これ）に替った。

田口は、電話の交換台に坐って仕事をしているうち、移民団というものの生命を再認識した。胎児が動き出して夫婦の深い愛情が創られてゆき、夫弘保の人間性も、移民団員として十分素質があることも解り、野の花の美しさ、野生植物の食料としての価値もだんだん解るようになって来た。馬は仔馬を産んだ。この可愛らしさは、今までかつて味（あじわ）ったことのないものが、田口一族の生活の中に加わった。

やがて田口さんは、卒業した気持になって電話交換台を去り、自分の広い畑の仕事に取組んだ。風の無い、夏の曇り空は鬱陶（うっとう）しい。斯（こ）ういう満洲の午後は、きまってひどい藪蚊（やぶか）に攻めたてられるのである。デパート・ガールであった田口さんも、厚いスカーフをすっぽりかぶって、汗を流しながら畑で鍬頭（ちゅうとう）（畑の除草具）を動かしていた。

藪蚊のひどい時は、畑で子供達がジーと待っていることが出来ない。ひめかん草（ぞう）の花摘みをして動くしかない。「みっちゃん・・・・遠くへ行ってはダメヨ！」黄色い姫甘草の花は、すばらしく新鮮な味と甘ったるい女の香を含んでいた。

〽夕やけ小やけで日が暮れて、

口ずさみながら、魚沼部落に早目に帰って行った。

西向きの苞米畑から丁家屯を眺めると、湿地帯に冷気が漂よい、白家の方は夕日でとても美しい。荒耕しの畑が、西に向って延々と続いていた。

田口の妻がすっかり落ちついて五福堂移民団に根をはやしていることは、五福堂移民団に、生活の文化向上に役割を果たす約束がされるほど、大切な女の存在であった。

東京の生活文化を身につけている婦人は、田口の外に、西蒲原の籠島一夫の若妻千代子が居た。私の妻史子は東京風だったので、心を寄り添いながら、団長の妻という立場は、田口や籠島千代子達を融合させた。

田口の妻は、次第に強い母となって成長した。籠島千代子は、一夫の気性が変わり者だったから、結局結婚は失敗した。

籠島千代子が、私の妻史子の留守居している団長私宅に泣きこんで来た。余程の事情がない限り、裸足で逃げて来ることがない。「どうしたのよ・・・?」

女の感情は、乱れると直ぐ行動に陰影の如くかげって来るのであるが、籠島千代子はひどく興奮していた。

籠島一夫は、千代子がきれいな着物を持っていることは、千代子の心が、却って百姓の妻らしくならない……と、奇妙な誤解を抱き、千代子の大事な着物に油を注ぎこんでしまった。

千代子の予想しなかった一夫の暴行は、人間的評価を著しく下げてしまい、この男と生涯を伴(とも)にすることは、文化的な女、千代子の耐えられない不安をかきたてたのである。籠島一夫は貧困な農家・農村に育ったのか、都会の生活環境を型どる着物・家具・料理・一日の生活時間などに総(すべ)て反感を持っていたのだろう。千代子の肉体は、着物によって一層美しく見える。それが嫉妬に変り、肉体の占有をしながら、もっと激しい求愛を必要とした一夫は、むしょうに千代子の着物に乱暴して、気を霄(そ)らそうとしたのであろうか。

千代子の美しい着物は、一夫にコンプレックスを感じさせ、千代子とは常に相当の距離をとっているのだと誤解し、その直接の原因が着物だと思いこんでいたのであろう。

私の妻史子は、千代子を〔に〕やさしい言葉をかけて心を鎮めさせた。レコードをかけて千代子の心に瞑想の灯(ひ)をつけてやった。

「せめて普通の男の様であれば我慢もできるのに……」と千代子は、情けなく、一夫の愚かな行動を卑(ひ)げした。

私は、千代子が妊娠しているのではないかとも考えてみた。移民団での若夫婦の喧嘩は、大てい妻が妊娠して三、四ヶ月位に、もっともひどいものが起きていた。千代子もそのケースではないかと想像した。史子が話題の中から直感したのでは、千代子は妊娠していないらしかった。

夜になって、浅間熊太郎が籠島一夫をなだめ、千代子を呼び返してやろうと思って、私の自宅に訪ねて来た。

「今晩は、私の家に千代子を泊らせて静かにさせてやろうと思っている。籠島君は、今晩は独りで寝るんだなあ、そして、妻恋し、妻をねたみ、妻の体温から離れたわびしさを知らせ、心の中に温い感情をよびさまさせるんだなあ…」「一夫君は後悔している様だ」

「何、一晩や二、三泊は離れていることが、一番良い薬だよ」

私は、ヴァイオリンを一台持っていたので、心のウサ晴しに弾(ひ)いてみた。弱音器をつけて弾くと一層感情的であるから、適当に、名曲の所々を弾いた。

心に傷ついた女には、弱音器から流れるカスレ音は、感情を刺戟(しげき)して、都会の色々な事柄を思い出させた。

仲人(なこうど)の上手な口車にのってしまって、失敗したと後悔もされた。新潟港から乗船して、清津の港で一泊し、籠島一夫から、年令が千代子より年下であることを知らされたり、話題の中心が常に違っていたりして、新婚旅行が続けられ、その時に受けた印象がよいイメェージを呼び起こさなかったことを再認識してみた。

開拓事業のあらましやその理想は、千代子も解っていたが、夫婦生活こそ開拓の本体であるのに、それが普通でないのだと決定づけられたのであったから、千代子の心はもう破滅の一歩手前まで歩るいていた。

千代子は東京に去ってしまった。

東京には千代子の妹が待っていた。大陸の花嫁が心の傷手(いたで)を抱いて、大都会に帰って行った。

私は、ひどく、千代子が大都会に消えて行ったことが心残りになって、しばらく私の心を憂鬱にしたのであった。

植民地に人が来る……ことは、すばらしい心の持主が又一人増えた…遠い将来に夢を託した者が同志として加わった歓こびを、今まで待っていた人に与えた。満洲大陸の日本人移民地は、内地から続々と若い花嫁達を迎え入れてゆくことばかり….人間の集団は、次から次へと愛の営みをする者ばかりに展がっていた。

多くの花嫁は、内地の人達によって選らばれ、満洲開拓という青年の夢を具体的に説明美化され、女達はその中に自らの相性を発見して行った。ロシヤ人達は人間の理想的姿は「ロシヤ住宅の温かい中に住み、日本婦人の貞淑従順な妻をはべらせ、栄養たっぷりで安価美味の支那料理生活をする」ことだと東洋における憧れの人生を夢みた。こんなすばらしい人生を創造できる者は、最も手近にこの理想が、「すぐ其処にある….」と知っていた日本人移民者だけであった。総てが新しい….日本内地では味わえない若者だけの夫婦生活、その中には、古い伝統のうち、すばらしいものだけを選び出され、わずらわしい習慣はさらりと捨てられて行った。今まで農村生活の中で、嫁が悪阻の苦痛をジーとこらえなければならない姑への気がねなど、ここにはさらさら無くなってしまった。性的無知な男達には、悪阻の何たるかを始めて知つて驚いた。或いは、妻達の悪阻による休息を、怠惰だと誤解した。

群鶏の中の鬨をあげる雄鶏の偉勢(ママ)は、女性を守る宣言であるのに、吾が妻への征服であると誤解した。

無垢（むく）清浄の女性の胎内には、休む間もなく満洲大陸を故郷とする新しい人間を宿していった。

これが、移民地であった。

其処（そこ）は未開の原野であると同時に、未開の人間社会でもあり、愛児の病気に対して、看護の知識も又低かった。

唯（ただ）、二人は愛し合った。

けれども、愛に失望するや、移民地は真の荒涼たる原野に還り、何処（どこ）を探しても希望の片鱗さえも見い出されない。この苦しみを経験を経ずして、移民団の主婦に成長した者は、一人だって居なかった。移民団は、女の苦悩に対する闘いの力、征服の歴史のみによって希望の道が拓（ひ）らけた。

〔五福堂開拓団の五ヶ年〕（＊編者による仮の章題）

〈先遣隊期～村制施行期〉堀忠雄は、移民団の開拓の五年間を振り返り、失敗だけが残ったと総括する。しかし、移民たちは失望しなくなったと言う。

（通北県）

（この統計は昭和十七年度であろう）

入植年次	開拓団名	団長	入植計画戸数	入植済戸数	農事指導員	保健、	住職・校長
康徳四年六月（昭和十二年）	五福堂	堀忠雄	二〇〇戸	一九七戸	小野元吉　吉原儀市	渡辺一夫	岩田豊稔、川島武夫
同	老街基	出井菊太郎	二〇〇戸	一四七戸	岡野良一　吉田五郎　警備指導員　五福堂　岸田雄三郎　老街基　赤石清	加藤代助	織田美雄、市川健
康徳五年（昭和十三年）	酪農実験場	小西義太郎					
康徳七年二月（昭和十五年）（栃木）	張文封（克東県）	中村勝輝	三〇〇戸	三一戸	鈴木一男　沢田忠雄		
同	花園（克東県）	磯瀬一	三〇〇戸	三二戸	角田忠義　花岡熊一	菊川国雄	
同（千葉）	天乙公司	鶴岡亀之助	二〇〇戸	五三戸	大村定男		三平清一
同（群馬）	九道溝	掛川金蔵	三〇〇戸	三四戸	鈴木登吉	金山金一	長内一三

同（埼玉）	趙木廠	小林定二	二〇〇戸	四七戸	野崎芳衛 杉山彦一 丸山栄吉	
康徳七年四月	西火犁 （魚沼方面）	丸山政雄	三〇〇戸	五四戸	小池佳寿 中島弘之	渡辺
同	東火犁 （刈羽方面）	佐藤益章	三〇〇戸	五三戸	原因 小林三千三	
康徳九年 （昭和十七年）	鶏走河	伊藤輝三	三〇〇戸	不明	木俣	
〃（岐阜）	柳毛溝	市川秀吉	三〇〇戸	不明	鈴木	
康徳十年 （昭和十八年） （岐阜）	東柳毛溝	今井好夫	三〇〇戸	不明		
（山形）	白家自衛村	奥山国三郎	三〇戸	三〇戸		

右の統計にある五福堂入植済戸数一九七戸は、当初入植した二一三（ママ）戸のうち、死亡者、佐々木平三郎、大橋忠平を除いて十七戸の退団者が出た、やや落ちつき始めた時のものである。

ここまで歩いた五福堂開拓団は、この五ヶ年には、多くの波乱が秘められている。私の脳裡に残っている、幾分かを次に書き残しておこう。

延々八粁（キロメートル）の水路は満水して北に流れている。

盛土をした煉瓦（れんが）屋のあたりは、時々堤防が切れ、
夜になってからも、開拓者達は現場にかけつけた。
私も孤（ひと）りで水路を見守り堤防を歩るき、
感激して漢詩を書き留めた。
空には渡り鳥が無数に飛び交い
人間の語る言葉など大自然に聞こえない。
満洲の自然は巨大であった。
昭和十四年（一九三九年）の水田は百町歩（ちょうぶ）、すべて青立ちになって
霜枯れた。
宗（そう）博士の予言どおり、
稲づくりはきびしかった。
丹念に耕した所ほど、稔（みのり）が無かった。
小林熊吉の純情にも、今井正吾の理屈にも
大自然は、冷害、無作で対決した。
　　村山秀義は、草丈（たけ）二尺ばかりの分蘖（ぶんげつ）（根元から新芽が出て株分かれすること）もしない
　小さな稲が、丸々と米が実っているのを発見した。
北満に育つには、丈が小さくなれ……
大自然にもまれて、生命を全うするには小さくなれ・・・・

あまり肥沃でなく、瘠土の上で生命を全うせよ……
瘠土、無慈悲は、人間をも、稲をも
義に嚮かわせるのだ……。
多くを求めた者には与えず、
求めぬものに与える神が居た。
驕る者には、ふりむきもせず
自然の掟を、冷厳に、「斯うだ」と言っていた。

進歩した理想の社会など、僅か五ヶ年の開拓の歩みには無かった。未経験との対決には、唯、失敗だけが残った。

一夜にして狼は飼っていた羊の総てを喰い殺し、臓物だけをすすって、何処かに去ってしまった。

秋に日本から、移入されて来た巨軀のノルマン〔ノルマン種の牛。乳肉兼用種〕は、冬毛が生え揃わぬうちに、ひどい凍原に遭遇して凍死して行った。

黄色い、豊かな玉蜀黍の種を畦長く播いても、丹頂鶴に発見されて、若芽の出ないうちに残さず啄いばまれ、畑は空いてしまった。

毎年、多くの子供が産まれ、大陸の第二世が誕生したが、どの子供の脛も曲がりくねって、佝僂病〔ビタミンD不足による足の骨の変形〕になった。

しかし移民たちは失望しなくなった。天恵を阻害するものが有れば、これを征服する術を考え出していたからである。


自然とは、よく観察すると、皆、何等かの力がかみ合っているものだ……中村寅吉は、水路と樋穴から狐の仔を捕えて、家の前の箱に入れて飼った。

「君、狐は水田に飛んでくる鴨を追い払うに大いに繁殖させなければいかんのだよ…」

「じゃ、放してしまうか」

「駄目だ… お前、屹度この狐が大きくなってから、逆にお前を騙ます様になるぞ…まあ放さん方がいいぜ……」

私は水田百町歩、全部を経営するには、団員が三回もの不作、凶作、青立ちの実態から抜け切れないと諦めてしまったから、中々困難。そこで北安満拓の阿部助成課長に、相談に行った。

「鴨を防ぐには、とても我々の手では駄目だ。夜警ばかりしている水田など、しまいにはやれなくなる。鴨追いには自然の動物を増やして、天恵の均衡を目標とせざる限り出来ないと思う」

阿部助成課長は、まじめで心暖かく温厚な人であったから、ジックリ聞いてくれた。

「そこで今の水田百町歩の中に柳条の挿木をして、良田だけをしばらく経営し、柳条は年々売れるし、又、狐などの住家にもなる。防風にも役立つ。鴨が少くなれば、米は必ず収穫出来るだろう……」と。実は、人のよい助成課長を、私は騙した。彼は、団長も余程思い余って相談に来たものだろうと思ってか、直ぐ賛成してくれた。

ある夜、小学校の先生、孝範の担任であった高尾敏一先生と岩崎繁先生が私の住宅で雑談をしていた。

水田の方からピカピカと灯(ひ)が点滅し、本部の方に近づいて来る「狐火」を発見した。

私は、土壁の側に立って放尿していた。「高尾先生…今しがた話して笑った「狐火」が見えるよ。狐の嫁入りだよ…」「まさか?」「いや本当だよ…」

史子も、炊事場の重いドアーを開けて出て来た。

「解ったワ、あれは中村が狐の仔を捕えてあるから、迎えに来るんだと思う」「親の執念だよ」

「仔を養うために鴨を捕えて運んで来るんだ」

「野原には、狐の敵、狼が、うようよしているから、唾(ヨダレ)を光らせて、敵を近づけない自然のめぐり合せだろう」

「斯(こ)ういうことを、ナチュラル・サーキュレーションと云って、自然の原理だ」

「やっぱり、あるんだなあ…」


水田に柳条(りゅうじょう)を植えることにして、皆(み)んなで作業をした。四~五十町歩も植えた。完全には育たなかったが、とにかく成功した。

「中村寅吉は、下腹のあたりにボール位の玉が出来て、内臓の中をグル廻っているようだとさ……」

浅間熊太郎は、弘法大師(こうぼうだいし)〔空海〕のお灸をすえて治療しているが、中々、弘法大師様が効かないということである。

「浅間のお灸、あいつの呪詩(マジナイ)は、寅吉のグリグリには効かないんだ。大てい治りがけの病気には弘法大師も効くんだ」

中村寅吉は次第に顔色が悪るくなって行った。

転地療法のため内地に帰ったが、一年たらずで死んでしまった。

水田は、どうやら小野元吉指導員も手をやいてしまい、今井正吾水田班長も参ってしまって、酪農に転換しようと提案して来た。

吉原儀市畜産指導員の手に移った。

そして、小野元吉指導員は、新しい仕事、小学生の寮建設に心が変って行った。

いぶき寮

〈**家族招致期**〉五福堂の小学生の冬の通学のための、「いぶき寮」を開所する。その本格的建設のための資金募集に農事指導員・小野元吉は奔走する。そのために堀忠雄と小野が新京を訪れた。新京滞在中の一九四一年（昭和一六）一二月八日、米英との開戦を知る。小野は過労で病となり帰国、一九四四年に死去。小野の妻マツは遺骨とともに五福堂に帰ってくる。

いぶき（気吹き）・五福堂から私が寮名をつけ、心の清らかな者達が生活を共にし、助け合うという生活理念を生徒達に教えた。
校長川島武夫は、優れた日本精神に深い憧れを持っていたし、八重樫久次郎先生は、岩手の農村詩人「雨ニモ負ケズ…」の作者・宮沢賢治の教え子、小野元吉は教育者で、事、教育に関することには襟を正してゆく姿勢の男であった。

十四ヶ部落、学校まで最も遠いのは富山富三郎、渡辺貞二、小林熊吉と三人で創設した〈中〉

蒲原部落で、約十kmである。富山スイは、道子を特に愛し、両親は毎日風呂を沸かして子供の成長を願った。二番目の子供は男子である。私が征人と命名した。現在も、将来に対しても、開拓団の子供教育は、この五福堂移民団を立派なものにするキーポイントであるに違いなかった。

小学校生徒の多い部落は、平林、高柳で、両方とも分村計画の第一陣であったからだ。高柳には中村、平林には鈴木、魚沼には中島、そして角山、細井少年などが居た。女生徒には平林の夏子、西蒲原の浅間シマが上級生であった。校長は第一代が窪田基則、第二代が石名坂清一、第三代に川島武夫が就任していた。この間、初代の代用教員に鈴木礼司、女教員には渡辺茂夫の妻マチ子先生が正教員で渡満したが、その前は、医師山川玄洋の娘が、店びらきをした。

高尾敏一先生は最も若い独身青年だったが、胸を患らって日本に帰国し、消息が解らなくなった。やり手の岩崎厚巳先生は、一年そこそこで湯原県に転勤し、八重樫久次郎は秦来に居て、長男邦夫が生れて間もない頃、妻が、ミゾレ降る寒い木枯の日に着任という、ひどい目に遭いながらも、東北人のネバリで学校経営に熱心であった。

生徒は冬になると、通学困難であるから、父兄は「いぶき寮」を団直営の施設にすることを要望した。ここに来る生徒の中には、フトンが不足していて、兄弟で一枚に寝た。夜尿する子供には、上級生の女児が姉となって世話をした。男子上級生は燃料の準備をし、青年学校の生徒は生活の総てを援助した。長沼春男、中西達郎等が大人の様に働き、乳牛を飼い、牛乳をも供給した。

「移民と教育施設」は運命を左右するほど重要な課題であった。

ロシヤ人達は、移民には教会とダンスがつきものだと云い、支那人は、料理屋と売春婦が欠かすことの出来ない条件だと云った。

「いぶき寮」開所式を寮の中間の部屋でやった。水野はオイシイ西洋菓子を作ってくれた。小野元吉は遊び道具を買って来た。

「いぶき」とは、神様達が草深い国を拓らいてゆく時、大へん御苦労されたが、額に汗して働かれた。ダクダクと流れる汗のあとには、清々しい気分がみなぎる。神様達はそれぞれ皆、大へんな達人であって、この力を合せることによって、大きな生命を創造して行った。その歓喜‥‥胸の中から吐き出された呼吸には、何の邪心もない。それが神様だ。君達も、そういう神様のあとつぎだ。日本人の満洲移民達はみな、斯(こ)ういう理想を抱いて、今日まで歩き続けてきたのだ。「いぶき」寮に寝起きして、元気に育つんだ‥‥。


生徒達は防寒服で丸るく膨らみ、キチンと坐(すわ)って私の眼を注視していた。私の講話が終ると、生徒は東天を拝して皇居を遥拝し、実践の誓を立てた。

小野元吉は、続いていぶき寮本建築費四万五千円を郷土人に呼びかけて募金運動をする方針を発表した。

北満の冬は、午後、間もなく日が暮れた。風も無く、空気が凍りつきそうである。オンドルから吐き出される白い煙も、動かず直立した様にけむっていた。

井戸から石油罐で汲み上げる音が、夕暮れ時の忙しさに混じって、カランカランと音を立てていた。


小野元吉は、この運動に昼夜の区別なくやりすぎて、結局は肺病になり、帰郷、転地療法したが、不帰の客となった。

柳正が内地に見舞った時は、声は嗄すれ、痩身、余命いくばくもなく、唯、「復帰再奉公」を願っていた。

私は、小野元吉が「いぶき寮」建設に異常な熱をあげ、病魔に倒れたにも拘らず、遂にその目標を果させる手段を採用しなかったことを、慙愧に思うのみであった。

私は、やろうと決心すれば、大ていのことはやり抜いた。しかし、「いぶき寮建設案」に対して、関東軍兵器部長であった高橋茂寿慶少将〔小野元吉と遠縁の人〕に面会した時、司令部二階の一室で、閣下は賛成の意を表せず…梅津美治郎司令官〔関東軍司令官。植田謙吉の後任〕に会え…と言われた為め、私はひるんでしまった。

そして、「明日は重大声明があるんだ」と一語、私語いて、別室に入って行ってしまった。

この事件は、昭和十六年〔一九四一年〕十二月七日である。

夕食には高橋少将の自宅を訪れた。一青年を書生にし、新潟から女中一人を雇い三人暮であった。

「この趣意書には色々書いてあるが、協和ということが書かれていない。君等は満洲国をどういう風に考えていて、どういう教育をするのか」小野元吉は勢いこんで「うちの団長は満人教育者だ。全満の団長の中でも、堀団長ほど満人を知っている人はいない。だから、敢えて趣意書に書かなくても、協和思想の実践が眼前にあるのだ」と強調した。

「郷里新潟は深雪に埋もれ、他県人より一層の苦難を受けていながら、立派な人や、大きい生産もあげている。君等は施設を欲しい。そこで勉強させたい。…解るよ。だが、今は国家非常時だ…」


一夜は明けた。

ラジオから、東條英機総理大臣の米英宣戦布告の演説が流れた。

中央ホテルのマダムは、神棚の前に正坐してきいていた。

涙を流して、「お客さん、斯うなれば何も必要ない。私達は満洲に永い年月暮らし、儲けさせてもらって来た。イギリス、アメリカを相手にしての戦争など勝てッこない。でも、私達は銃後の人として、捧げなければならないですものネェ……」。

私は黙ってきいていた。

「さあ、小野さん、帰団しよう……」

数ヶ月経て、小野元吉の発熱は下らず、肩の肉はやせおちていた。建設途上の病魔、大東亜戦争への突入、時局変転する中で、彼は五福堂をふり返り眺めながら、支那人の馬車に乗って通北駅（トンペイ）に向った。

小野元吉が病気療養中に、私は先（ま）ず加工場の復興をはかった。年収純益二万円をあげることが出来た。島倉庚市の設計醸造は正確であり、平石諒太郎は顔に似あわず朗らかに働き、磯部一泉は、釜たきの専門家になった。

後、賓県（ひんけん）から常傭苦力（じょうようクーリー）として「劉さん」が来てくれて、満人に対する宣伝が整い、立派な経営となった。

しかし、ここまで歩むにしても、大へんな苦難を経たのである。

新京から中村越郎*課長が、五福堂を訪ねて来た。

本部の泥壁は、年々重みで下っていた。

冬になると隙間から零下三十度の寒風が入って来る。私は防寒帽をカブッて、事務をとっていた。「いぶき寮」も粗末のままであり、開拓者の畑も未だ六町（ちょう）平均位しか栽培できない。二千五百町歩（ちょうぶ）の開墾が、農具の不備から年々作付が減少して行き、開拓者は貧乏のどん底に来ていた。

「堀団長、ヒドイなあ……」

「どうしてですか」

---

* **中村越郎**　一八九七（明治三〇）～没年未詳。慶應義塾大学卒。満洲拓植公社開拓部経営課長（『満華職員録（康徳九年・民国三一年版）』による）。

「だって、壁の穴くらい修理したらどうか……」

「解るが……今、団員の労力を無給で使うことの出来ない時代だ」

私は中村課長に思いつきのまま「後題醐(ごだいご)天皇〔が〕は南朝の天子様として笠置山(かさぎやま)*にのがれた時の史実を例にとって、今こそ、開拓の本命は移民者個人の建設を第一義とすべきで、天子様さえ我慢されたことを思えば……」と、心情を吐露した。

「解った……それなら今、堀団長は何を望むか？」

「団長の労力や賦課(フカ)金を集めないでも、年間二万円、収入あることを必要とする」

「解った……そのうちに、団長の要望に応じることを約束する……」

私は、余り期待せずに待つことにして別れた。

小野元吉が帰国して丸三年、十二月に彼は死んだ。当年四十才である。そして、妻マツは遺骨を持って、又、五福堂に帰って来た。

心から開拓事業を愛した私と小野、そして彼は夭折(ようせつ)とまでは云えないが、開拓事業から見れば夭折だ。団葬をして、詩の如き人生を惜しんだ。

柳正は駅まで迎えに行き、五福堂の丘に馬車に乗った妻マツと小野指導員の遺骨……「小野先生、見てくれ、あの加工場の高い煙突、好きな酒は二百石(こく)〔一石は一八〇リットル。一升瓶一〇〇本分〕もある。醤油は、どんどん売れる。味噌も後続開拓団に売る。油もしぼれる。豆腐も納豆も切れることがない。豊かになつた我が村を見てくれと……と柳正は声をつまらせて、白布の遺骨を高く手に掲げた。妻マツは感慨無量の涙を流していた。「団長さん、妾(わたし)、一人でここで頑張ります。どうか妹一人得たと思って、面倒みて下さい。妾も、団長さんは本当の兄さんの様な気がします。とても、内地の様に封建的な社会で、私はこのまま小野で通してゆけないと思ったから、又、帰って来たのです」

開拓の終曲は、教育と信仰、そして豊かな村を創ること……。それよりも、やろうと思っても中々出来ないのは、友情である。これが（だから）開拓は芸術であると言える、心の詩情にふれて活動してゆけるのが開拓であるのだ。

開拓は、一人の開拓者が死ねば、心は益々開拓を堅固なものにした。「開墾即開魂」と、実体からほのぼのと日本人の魂が創造されて行った。

私は、良い、優れた人間社会の中で、思う存分の仕事をしていたことを教えられた。

＊**笠置山**　京都府相楽（そうらく）郡笠置町の山。一三三一年（元弘（げんこう）元年）、鎌倉幕府打倒計画を察知された後醍醐天皇が逃れた山。翌年、天皇は捕えられ隠岐（おき）の島に配流。

野火

〈村制施行期〉一九四二年（昭和一七）、フェーン現象で野火が起り、堀忠雄は現場に急行するが、団員の妻と子が亡くなる。人間の生命を守ることの難しさを痛感する。また、これとは別に、防火線を焼くために野火を起こした団員二人が通北県（トンペイけん）の獄舎に入れられる。助けに行った堀も牢に閉じ込められるという経験をする。

満洲で、どんな話より野火ほど巨大な嘘の様な話はない。アメリカ大陸の開拓途上を書いた、文豪ヨハン・ボイエルの「移民*」にも巨大な野火が画（えが）かれている。野火のある所には樹木が無い。広漠（こうばく）千里は、斯（こ）うして出来上がったものである。

五福堂開拓団に、野火の事件は数多くあったが、特筆すべきものがある。

その一つは、岩船部落の森慶作と佐藤源治が、開墾のためつけた火が野火となって老街基を襲い、警務課に連絡され捕えられて、二人、豚箱にたたきこまれた。

もう一つは、南方の丘からフェン（フェーン）現象を起こして万代部落を襲い、小林清作の妻と子、更科フミが焼死した事件である。

野火に遭遇した時は、大和武尊（やまとたけるのみこと）が草なぎの剣（つるぎ）で草を払い、野火に立ち向かったという対決の方法が、[*]身を守る最良の方法であることを教えた。恐怖から逃がれても、やがては追いつかれてしまうからだ。

この年〔昭和十七年（一九四二年）〕、史子は、孝範、正昭、範子を連れて、内地に帰り、又帰団した。私は釜山（プサン）まで出迎えに行ったが、もうその時には範子は発熱していた。急いで帰団したが、範子の病気は悪るくなるばかりであった。止むなく北安（ペイアン）病院に入院させたが、医師の診断は粟粒結核（ぞくりゅうけっかく）〔結核菌が血流によって全身に広がる結核〕で、死を宣告した。高野カメを女中として連れて行き、史子は全力を尽した。史子の最も優れている点は、子供の看護は徹底的にやる。そして理論的であり感情的にも十分看護の実をあげるだけのものを備えていた。

それでも医師は死を宣告した。

範子入院中に起きた野火事件で、小林清作の妻と子供が焼け死んだのである。

＊ **ヨハン・ボイエルの「移民」** Johan Bojer 一八七二～一九五九。ノルウェーの小説家。ノルウェーの民間の暮らしを描く。『移民』は宮原晃一郎、西外次郎が日本語に翻訳（四元社、一九三九）。原作はアメリカのノルウェー移民を取材した *Vor egen stamme* (1924; *The Emigrants*)。

＊ **大和武尊が草なぎの剣で草を払い、……** 古代の歴史書『古事記』の、景行（けいこう）天皇の皇子・倭建命（やまとたけるのみこと）（『古事記』での表記）が相模国（さがみのくに）（現在の神奈川県）の豪族に野に誘い出されて火攻めにあったとき、叔母の倭比売（やまとひめ）から賜った「草なぎの剣」で難を逃れたという物語を踏まえる。

〔満洲国〕協和会*から中島事務長（埼玉県出身）が来て、私の自宅応接室で懇談している時、加工場の前方がものすごい野火*の様に見えた。私は中島事務長をそっち除（の）け〔に〕して、愛馬にまたがり、従僕として愛犬富士を連れて、万代部落に走った。愛犬は常に私の愛馬左側に寄り、走った。私の眼が異様に光っていたからか、愛犬富士は時々不安な目付きで見上げていた。

万代に行く湿地と橋を渡る時は、既に野火は過ぎ去って、一物も残さず焼け尽し、谷地坊主（やちぼうず）〔植物〕だけが、未だ煙を残していた。

左側の深い側溝から後藤久治が、真黒く灰で汚れた顔を出して、何やら叫んだ。家は三軒だけ焼けただけと私は見て、先（ま）ず上（カミ）の方にある綱島房子（ファンズ）を偵察しようと、後藤久二を構わず丘を登った。野火の第二線に遭遇した。火線に突入するため、愛馬に強烈にギリギリと拍車をかけた。火を飛び越したが、愛犬はとまどった。「来イ！来イ！富士」

セパードも火線を飛び越した。

綱島部落も大丈夫であった。私はさらに中蒲原（なかかんばら）に向って湿地を渡り、丘に登った。渡辺貞二は乾草山の周辺にコツコツと防火線を作っていた。

その丘づたいに南に馬を進めた。焼け残りの草株から、黒焦（くろこげ）に羽毛が色づいた雉が一羽飛び立った。多分雉は午後二時頃まで昼寝をする習慣だから、その時にやられたものだ。富山富三郎の家は大丈夫であったが、前方に狼が発見された。私はピストルを持参しないで行ったから轡（くつわ）を返して、その危険から遠ざかったのである。

長栄部落まで帰って来たら、万代の犠牲がひどいことが解かり、馬を飛ばせた。長栄から本部までは道もよいので一挙に飛ばせても、馬は十分耐えられた。三六〇〇米(メートル)位を走り通した。愛犬富士の方が参っていた。

小林清作の妻は子供を背負い、カメノコ綿入(わたいれ)〈両袖のない綿入れ半纏(はんてん)〉をかぶって火から逃げた。側溝に落ちた。道路にはいあがろうとしてもがいたらしい。足の指が折れていた。カメノコに火がつき、子供も焦げた。

更科フミは子供のない婦人であったが、一人で火の下手(シモテ)、湿地の方に走った。電柱のあたりまで走って火にまかれ、倒れたらしい。帯のあたりだけ焼け残っただけで、全身火傷(やけど)でただれた。

小林清作は馬を出したが、種馬が焼けたが死にいたらなかった。後藤久治は、どんなはずみか、小林清作の妻子を援(たす)け出そうとしたが、人事不省(じんじふせい)となり側溝に倒れてしまったから、火はその上を走り、焼身からまぬかれた。

私が初め馬で通りかかったのは、丁度(ちょうど)後藤久治が昏睡状態からさめた所だったから、何か解らないまま、後によく調べるから……と通り過したのであった。

私はこの失敗を後悔した。まさか、人が焼死するなど予想だにしていなかったからだ。野火

＊〈満洲国〉協和会　一九三二年（昭和七）に発足した、「満洲国」の官製国民団体の「満洲国協和会」。「満洲国民」への建国精神の普及・強化を進めた。中島は通北県協和会の事務長（『梢火』四八頁、五九頁による）。

＊野火　『梢火』四八頁によれば、この野火は一九四二年（昭和一七）一〇月一五日の出来事。

と、物的災害だけを考えて、先を急いだことが失敗である。長沼、浅間、鈴木等全員力を合せて、通北病院の中尾医師の所に担ぎこんだ。

更科フミが一番早く死んで行った。そして小林の子供が死んだ。清作の妻は、眼も耳も総て繃帯で包まれていたが、子供が死んで、ひっそり側から取り除いたのを解ったらしく「遠いところにやらないでねェ」と、一人一人の治療だと思ったらしかった。

そして、妻も死んだ。

渡辺一夫医師は、中尾医師に頼んで本部に帰ったのである。火に追われた時、苦力に来ていた満人は、大声をあげて「別去、這辺来（逃げないで火の方に来い）」（行くな！こっちに来い！）と教えたらしかったが、女の悲しさ、死の運命を辿った、と話された。

私は悲しんだ。大陸の花嫁、日本民族の母が、大陸に起きた自然の災害に無抵抗でさいなまれた。

人間の生命を守ることの如何に困難なことかを、ありありと教えた野火であった。

恐ろしい力とは争ってはダメなのだ。勇気とは、闘うために必要な知恵を云うのだ。そして融合することが必要だ。

北安に入院していた範子は、十一月上旬までは持ちそうもないから、家に連れて帰ってもよい・・・という医師の言。

私は植木屋の石川喜太郎に立ち寄ったら、奥さんは、

「サボテンの汁が熱によいそうだから、これを持って行きなさい…」

鉢から抜いて私に呉れた。鯉の生き血を飲ませると良いんだが・・・・と、教えてくれた。

範子は生命を拾いあてた。

必ず死ぬと宣告されたのが生き残ったのだから、何か運命的解釈を信じたい位である。

話は数年さかのぼるが、*森慶作と佐藤源治と二人が、通北の留置所の右側奥まった所に、ポツント坐っていた。

「警察呀、我有一個事情、請解鍵呀」〔警察さん、私は用事があります。鍵を開けてください。〕

店から買って行った菓子袋を拡げて食べながら、二人と話をしてみた。三寸角材でガッチリ組まれた縦横の棒は、冷たく社会と隔絶していた。温突は効いていて、ぬくもりがあった。三尺に二尺五寸位の入口ドアには、鉄の重い錠がビーンとかけられていて、どんなに騒いでも相手にしないのが警察隊である。

「呀！　警察隊、我事情完了、快開門罷」〔おい！警察隊！もう用事が済んだから早くドアを開けてくれ！〕

＊　**話は数年さかのぼるが**　『梢火』一三二頁によれば、一九四二年（昭和一七）一〇月一九日に、防火線を焼く作業を行ったことで、森慶作と太田武次が連行・投獄された。「数年さかのぼる」としていることと、佐藤源治が投獄されたとしていることは、堀の記憶違いであろう（佐藤は堀に森と太田が投獄されたことを伝えた人物）。

私がどんなに頼んでも、全然相手にしなかった。逆に「別説！」〈黙れ！〉と言って怒った。

あわてても駄目だ。こいつが当番のうちは駄目だ。じっくり待とう。

森慶作もぼつぼつ日系官吏をうらみ出していた。

この獄舎は本年完成した。通北旅館の田中三四郎が作ったのである。大ていは作った人が先に入ってみるものだそうだが、日本人では森と佐藤が一番乗りしたことになる‥‥ 心を落ちつけて…。

警察隊員の当番引きつぎは、やはりルールにのって、報告をし、捧げ銃(つつ)をして、交代した。

この時ばかりと、私は静かに話しかけた。

私の言い方を十分注意して軟かくし、「日系官吏に交渉してくる前に、私は団員の心情と様子をききに入れてもらったのだ。所(ところ)が前の警備員は、私も同罪と思いこんで出してくれない。この男達は私の団員で、今日の出来事は単に野火のことだ。私は堀団長(ジュエトワンジャン)だ‥‥」

「明日明日」〈しっこく聞かれて面倒になったときに言うことば〉「おい団長が間違って入っているうち鍵をかけてしまったんだ」…と仲間に証言を求め、漸(ようや)く出してくれたのは、午後八時頃だった。

早速、吉岡清*副県長に面会して、「見せしめ」とは云えひどい仕業(しわざ)だ。入れられた者は、ひどく日系官吏をウラムだけで何の報(むくい)もない。私が責任を負って、今後のあやまちを防止するから解放せよと強行談判をした。

「娑婆(シャバ)の空気は、うまいのォ」

「ツォータカナイ、リーベン官吏、ワンバダーン」*

私は森慶作と佐藤源治と三人で田中旅館に行った。ゆっくり解放感を味わいながら食事をした。

田中旅館のマダムはやさしい人で、いたく世話してくれた。寒い秋の夜、五福堂に帰団した。治外法権が撤廃されているのだから止むを得ないが、野火問題は、未だ、つけるのが本当に悪るいのか、農業的には役立つことなので、その善悪区別が十分理解されないうちに森と佐藤は、豚箱にたたきこまれたのである。

---

* **吉岡清**　一九〇八（明治四一）～没年未詳。「満洲国」官僚。九州帝国大学法文学部卒。通北県副県長には、一九四〇年（昭和一五）に就任、四一年にも在任、以後不明（国務院総務庁人事処編纂『満洲国官吏録（康徳七年四月一日現在）』〈康徳社、一九四〇〉、『満華職員録（康徳九年・民国三一年版）』による）。

* **ツォータカナイ、リーベン官吏、ワンバダーン**　肏他个奶、日本官吏、王八蛋。直訳すると、「あいつのばあちゃんをやってやる。日本の官僚。スッポンの卵」。「肏他个奶」は、罵る相手の女性親族を犯すと言い、相手を侮辱することば。「王八蛋」は、罵る相手の親が不倫をしてその人を産んだと言い、相手の血統や不道徳の伝統を罵ることば。

青年道場

〈村制施行期〉通北県の開拓団の将来のために青年の育成が不可欠と考えた堀忠雄は、「青年道場」の創設を提案し、道場長に就任。青年男子を率いて柳毛溝で訓練を行い、小興安嶺を探検する。その後、女子が訓練を受けている老街基開拓団に合流。青年たちによい仲間ができたことを、堀は心から喜ぶ。この時代が五福堂開拓団の最盛期であった。

開拓事業とは、人命を捧げる仕事であった。

子供はどんどん産ぶ声をあげる。そして育つ。しかし、生を全うすることが出来なくて夭折する子供の数も多かった。どんなに人生の経験が深い壮年の人、老人でも、開拓事業のことになると誰も経験が無かった。

そして、一寸したはずみで失敗し、又死んだ。

五福堂は、全満に類例のない新墾地に入植し、第三年目、開墾を二千五百町歩を成し遂げ、「土地は、世界の人、誰でも所有し、農業をやる者には思う存分与えられる」という理想の社会に居る者として、その素地が出来ていた。この営農に対する成功は、移民団員の平均年令が若かったことにも起因した。

（平均年令は二百戸の主人のうち、堀団長、富山富三郎、清野金次郎等、明治四十三年〔一九一〇年〕生れ

の者である。この年令の人は、一応社会に就職し、技術を身につけ、社会制度をも考え、日本の理想観を持ち、
且、積極的に事に処するに適恰している年輩であった。）

出身地新潟県は、〔の〕水田の豊富に育った者たちは、小作争議を嫌やというほど味わわされ、又注意して眺めて来た。水田の極少地域は、ひどい全国一の大雪に悩まされ、青年も壮年も出稼で落ちつく暇も無い。斯うした所からの出身者達の集団移民団であったから、開墾二千五百町歩は希望達成の第一歩であった。

前者の地域に属する者は、西蒲原部落、菖郷部落、中蒲原部落であり、後者に属する者は、高柳部落、小国部落、妙高部落である。

封建的な思想によって支配されていた地帯から抜け出して来た歓こびは誰でも同じであったが、特に岩船部落、平林部落と、菖郷に含まれていた東蒲原の一部である。山間地に住み、両者の性格を備えていたが、産業が発達して割合に住み易かったが、雪だけは御免んだとされていた。魚沼部落、北魚沼部落、長栄部落の者が、斯うした人生観を持っていた。

そして、各部落のうち、青年の多い部落は、平林、高柳、小国であった。困難な開拓をより良く発展させるには、先ず青年達が強くなければ駄目である…という理念を五福堂開拓団員及び家族構成を図解してみて、私は沁み沁み考えさせられた。人口構成図は典型的な軍艦型で、今後二十五年もしないと若い労力が出てこない…ということになり、我々はそれまで一層の苦難を突破しなければならなくなる。その中間を全責任を以って歩るくのは正団員であれば、最も若手の中野武、中島忠司等、二十二才で入植した者、全体の六分の一にも満たない。

この人達に続く青年は、今が訓練のやり時であると私は確信して、通北県の団長会議に提案したら、小嶋正雄*副県長〔東大〕は直ちに賛成し、私が青年道場長を引きうけた。長沼春男、中西達郎、中島勇、鈴木豊雄、高野倉雄、細井、角山、高橋泰助等がいた。女子青年には、桜本貞子、高野夏子、渡辺清子、高野カメ、浅間シマ等が、小学校卒業のほやほやもいた。

私は、松野傳が〔北海道〕十勝に於て実習所を経営し*、今上天皇が御視察された時の話にひどく魅せられていたので、松野傳がやった様な思想を、この通北県で実現してみたいと憧れを抱いていた。しかも、新しい時代に即し、新しい新天地に於て屯墾と共に文化発展の原動力になるには、先ず「歌う……青年と共に青年の歌を。踊ろう……日本伝統の文化を受け継いで。そして、友を信じよう……何処の開拓地の青年、男女を問わず、心を開いて話し合う。義務を果たそう……男はたくましく、女はやさしく……」斯様な目標を向って青年と共に歩もう……と私は団長会議に提案したのであるから、教化立村を移民団建設のモットウとしていた出井菊太郎老街基団長は強い拍手で賛成し、即刻私が青年道場長となったのである。

初年度の青年道場は、男子は柳毛溝、市川秀吉団長に場所を提供してもらうことにして、私が現地で寝食を共にすることにして、五福堂から井上秀、小林平作を指導員とし、老街基からは柿崎と水沼が参加した。

女子は老街基を会場とし、女流飛行士出身、白菊号の菊子〔西崎キク〕女史*を主任として老街基に集った。

四月十日、大車に食料品を積み、フトン其他生活必需品を積みこんで、常緑樹のある南少河子を目標として先ず柳毛溝恵那郷開拓団に向って歩るき出した。時速六kmの行軍を続けた。私は日本刀を腰にして、モーゼル拳銃〔ドイツ人のモーゼルが開発した高性能の連射銃〕一丁の軽装であったが、中々困難な行路であった。しかし、青年達は銃を肩にして重装備をし、鈴木には機関銃をかつがせた。交代交代して柳毛溝まで四十数km、約八時間の強行軍であった。

高柳部落を過ぎて、ホイル河を越えると大湿地がある。その湿地帯には大小いくつかの橋が

＊**小嶋正雄**　一九〇六（明治三八）～没年未詳。「満洲国」官僚。東京帝国大学林学実科卒。農林省勤務を経て、満洲国実業部、奉天省朝陽鎮営林署長、臨江営林課長（『満洲紳士録』〈『満洲人名辞典』所収〉、『満華職員録（康徳九年・民国三一年版）』）。小嶋の通北県副県長就任は一九四二年以後。

＊〔**北海道**〕**十勝に於て実習所を経営し**　一九三二年（昭和七）に、北海道の気候・風土に合った農業開拓のために「北海道拓殖実習場」が開設された。一九三六年九月に昭和天皇が行幸。そのときの場長が松野傳。『北海道拓殖実習場十勝実習場並拓北部落行幸記念録』（北海道拓殖殖民課、一九三七）に松野の「謹話」を収録する。

＊**菊子**〔**西崎キク**〕**女史**　一九一二（大正元）～一九七九（昭和五四）。飛行士。日本初の女性水上飛行機操縦士免許取得、後に陸上機免許取得。一九三四年、「満洲国」建国祝賀親善飛行でサムルソン式2A2型陸上機「白菊号」で日本海を横断。一九三八年、老街基開拓団に加わり「満洲国」に渡る。老街基在満国民学校の訓導（現在の小学校教諭）を務める。敗戦後は故郷の埼玉県児玉郡七本木村（現在の上里町）で開拓と教育に従事。

あり、六kmも歩るくと、西火犁（ライ）（報国農場*となった丘）の丘に達した。この辺には僅（わず）かながら樹のある丘を右に眺めて、西火犁の丘、草原を横断するのである。野火で黒く焼けた丘には、既に福寿草が最盛期を誇って、花だけが大地から顔を出していた。大地からは鈴蘭（すずらん）の若芽、桜草の若芽がのぞいていて、黒焦げの大地がもう緑の絨毯（じゅうたん）の様に復活していた。

西火犁からは橘が指導員に参加した。

西火犁を横切ることは、大波の様な丘であるから一時間半もかかる。そして、東火犁にかかる。この辺に来ると、通北の街裡（がいり）も霞んで見えるだけで、総（すべ）て地平の果てまで大草原である。北を眺めれば、ホイル河の支流がぐねぐねと曲っていて、その水辺に生きている柳条が点々と見え、大湿地帯を境（さか）いに白家駅の東方草原と対峙していた。

遥か北方の小高い丘の続きは北安（ペイアン）であり、ここから直線に行っても四十kmもあろう。道路は十米（メートル）中の開拓道路で坦々と続いている。

南の丘は小高かく、樹が所々に生えている。この丘の南側に、鶏走河（けいそうが）岐阜山県郷（やまがたごう）がある。伊藤団長がその統領である。同じ地区に義勇隊曙開拓団があって、新潟県出身の富樫典太郎団長が、通北県南地区、天乙公司、天ケ原開拓を睥睨（へいげい）している。

この鶏走河開拓団から二十kmも東方に入った所が、我々の伐採の山で、楢（なら）、ドロの木（ヤナギ科の落葉樹）、白樺の疎林地帯である。

東火犁開拓団は、最も大きい地区を持っていて、柳毛溝に接する湿地帯あたりまで伸びていた。東火犁の真中の丘に腰をおろして「握り飯」にかぶりついた。

四月ともなれば、台地は凍結から醒めて、花の季節を迎える直前である。早い年は四月の中下旬になると、表土は四～五寸から七寸位融解するから、畑にプラウを入れることが出来る。その直前であり、云わば農閑期だ。山に伐採にも行けない。橇が全くきかないからである。大空には、数知れぬ渡り鳥が大陸に帰って来ていた。

柳毛溝に着いたら、市川団長の手厚い歓迎を得た。数少ない団員達は、整列して迎えてくれた。井上秀がすばらしい統率振りで、長い道中の疲労を吹きとばして、大陸、大草原、そして高い土壁の衛門を「歩調、高らかに、靴音が青年達によって、踏みつけられ、日本人の姿をこの奥地に於て表現された」。

私は、堀家の宝刀、先祖伝来の「殿中ざし」、黒鞘の日本刀に〔を〕、史子の持っていた最良の「帯しめ紐」で腰に吊った。私は常に黒長靴を穿き、戦闘帽を着け、モーゼル拳銃を持っていた。常に団長であり、仮りに匪賊と交戦しても、隊長であることが一見して見分けられる様にしておいた。私の腰に佩く日本刀は青銅の鍔に金の花鳥がついているもので、私の念願である武士階級の子孫であるという封建的誓いが充満していたもので、私を常に勇気づけてくれた。小

---

* **報国農場**　一九四二年（昭和一七）度から、日満の食糧増産のために実施された「満洲報国農場」。各府県が開拓民とは別に青年男女の勤労奉仕隊を出して経営に当たらせた（『満洲開拓団史』九〇三頁による）。一九四三年から農林省管轄として多くの農場が設立された。

林平作には、ロシヤ製の五万分の一地図を研究させながら、丘、溝、濶葉樹林〔広葉樹林〕、針葉樹林地など、詳しく見させて、行動の正しさを維持させることにした。

一日の行軍が終った。

柳毛溝の団員、婦人達は〔が〕、夕食の御馳走をつくってくれた歓迎会に臨んだ。

月は皎々と輝いていた。

井上秀は、それぞれ青年達に任務を与え、警備を厳重にし、銃剣は〔月〕日光に青白く光った。

青年道場は、戦闘訓練だけ強烈にやって、あとは郷土の民謡披露ばかりをやった。埼玉の「八木節」で誰でも朗らかに、元気に、筋肉を踊らせた。山形の「新庄節」で、社会の実相を知り、新潟の「おけさ節」「三階節」で東北的民情の深さにひたる。群馬の小唄、赤城の子守唄は、上州人の勇気を受け継ぐに十分であった。

青年達には青春の夢があったのだ。

各移民団とも、建設の過労から青春の夢を犠牲にして来たのであったが、この青年道場に於て、凡ゆる矛盾と沈滞を青年達の胸中から捨て去った。

数日して、常緑樹の美しさを求めて、東方の青い山脈、小興安嶺を探検することにした。小林平作の検討した方向に、青年隊の前進を命令したのである。

柳毛溝から約四十kmもあるので、この行程は無理であるから、南少河子まで約二十kmを目標とした。

白樺の樹林地は全く一色の群落であり、この中には一本の楢の木もうけつけない。運命を問違い踏み入れたのか、楢の木はこの白樺地帯では根が傾むいて横倒れになっていた。湿地をさけて歩るいた。

草地帯には、猪が掘り起した畦(あぜ)のような傷跡が一ッぱいある。草根の澱粉(でんぷん)を求めたり、或いは地中の虫類を探したものであろう。「ああ…解った…」と青年が大声で話した。「何が解ったか?…」「豚や猪が、鼻が太く、上に向いているのは、斯(こ)うして食物を探し求める為(た)めだ。牙(きば)が鋭いのもこの為めだらう・・・・」「お前、いいことを発見した…」

地図を見ると、ボツボツ常緑樹がある筈(はず)だ。小林は、鈴木の機関銃班を側(そば)において、熊や虎が出た場合の防衛に備えた。井上秀は、道の通れないひどい權木(かんぼく)地帯を鉈(なた)で切り拓(ひ)らき、前進、帰路を明らかにする作業を担当した。老街基の柿沼は、傷痍(しょうい)軍人*であったから、衛生看護を担当、西火犁の橘は、非常食料其(その)他生活の係となって、場長である私に協力した。

実は、私自身も、こんなに優秀な指導員と共に行動したことは初めてであり、私の方針が寸分の狂いもなく進捗(しんちょく)していたことは、得られない体験をした。

ロシヤ製の地図とは云え、案外正確であった。尤(もっと)も、ロシヤ製地図に陸軍の測量部がいくらか手を加えたものか、常緑樹が地図の通りにポツリポツリ発見された。

満洲の大草原ばかりに住んでくると、人間の心は荒(す)さんで来る。春は、今盛りと栄えるが短命にして、秋の木枯(こがらし)に、万物が黒変、黄変して、生が終った如く寂(じゃく)として、風の音のみが残る。

---

* **傷痍軍人** 戦闘または公務で負傷した軍人・軍属。恩給などの生活支援を受けた。

しかし、小興安嶺の松や樅は、春となっても驕らず静かに伸び、秋と云えども、たゆまず落葉もしない。厳寒零下五十度になっても、青黒い葉は、生命を持ち続けていた。環境の悪るい所に繁茂した松は、身が太りすぎる年代までは活き続けたが、僅かの風で根こそぎ倒れているのもあった。

　人跡未踏、斧鉞のかつて響いたことのない小興安嶺の支脈が、ここにあった。

「おい……、常緑樹の弥栄に、大声で話しかけろ……」

ここには、バイコフ*の画いた虎も住んでいるのだ。熊などは格好の住家だと思っているのだ。猪は無数に生息しているが、我々は未だ猪の習性さえ研究していなくて、全く解らない。厳しい自然の原則についても、まるで痴呆者だ。

　南少河子までは、もう五〜六kmもあろう。ひどい湿原が横たわっていて、其処まで進軍することは危険であるから中止した。既に正午も過ぎたらしい。早く下山しないと歩行が困難になる。小林の計測によって、青年隊は軍歌を唄いながら帰路についた。猛獣が自ら、我々から逃げ去るようにと祈をこめて歌った。

（注）この南少河子は、ノムール河の上流で、柳毛溝のなお上流地に松、樅、常緑樹伐採基地が、通興から通じている。小興安嶺は、いくつかの南北に走る山脈の通称で、嶺は三江省にあり、南北河が北に流れ合流して、黒龍江に注ぐ。

（注）終戦間もなく、黒河省開拓・青森開拓団*は、この奥地、山脈を南方に向った。そして道を失ない、北安に逃避〔した〕が、深山にはまり込み、団員家族百数名を山中に置きざりにして来た。無縁

仏となって、今だに二十数年、松のいみじく風声に泣き悲しんでいるだろう。

（注）九州義勇隊原田隊は、幸運にも柳毛溝、東白川郷に辿りつき生還した。

今から考慮すれば、柳毛溝の青年道場は終戦の混乱を救った私の意識なき意志、予測が〔を〕、ここで育(はぐ)くんでくれたものである。

十二日目を迎えて、青年隊は市川団長や柳毛溝の開拓者と別離の詞(ことば)を交わし、五福堂に向った。帰路は皆元気で、各県の民謡をすっかり覚えた楽しみを抱いて、西の丘をめざして歩いた。柳毛溝から眺めれば、西火犁や五福堂は「都に近し」という錯覚に捉らわれた。通北街の酒屋の煙突から吐き出される煙もボンヤリ望見され、ハルピンに向う夕方の列車が煙を残して南下するものも望遠鏡で発見することが出来た。

＊ **バイコフ** ニコライ・アポロノヴィッチ・バイコフ Nikolay Apollonovich Baykov 一八七二～一九五八。ロシアの小説家。ロシア革命（一九一七）後に、満洲に亡命。満洲の自然を舞台とする動物小説を執筆。代表作に、密林の誇り高き虎の王を描いた『偉大なる王』（一九三六。日本語訳は長谷川濬(はせがわしゅん)訳、文芸春秋社、一九四〇）。

＊ **青森開拓団** 五戸郷、青森、尾上の三開拓団が統合した大青森郷開拓団（黒河省孫克県双河鎮）は、一九四五年（昭和二〇）八月一三日から避難を開始、その途中で小興安嶺の密林に迷い込んだ。病人・老人など一〇六名を密林に残し、約三〇〇名が脱出を図ったが、九月二三日頃まで道に迷い、残留組の救助に向かうことはできなかった（合田一道『開拓団壊滅す ―「北満農民救済記録」から―』〈北海道新聞社、一九九一〉、同『検証・満州一九四五年夏―満蒙開拓団の終焉』〈扶桑社、二〇〇〇〉による）。

私は従来から、日本開拓団は先ず拠点を固めて農地を拓らき、生活の安定を求めるべきで、いたずらに奥地開発、北辺鎮護とかいう国策のため、文化建設を遅らせるべきではないと考えていたことが、柳毛溝から小興安嶺まで足を入れてみて、これを実証した感に打たれた。
我々は、誰とも調和して、村を創り、産業を興こすべきである。それなのに、有り余る未墾地を残して、奥地へと日本人開拓民を入植させてゆく、日本内地の、郡、県、村の出先用地の様に考えたのは誤りであったことを実感した。

通北県は広大である。じっくりこの全域を開拓してゆけば、すばらしい日本人の多い農業地域になるだろう。それには、新潟県人の粘り強さ、埼玉県人の文化に対する反応の早さ、岐阜県人の重厚な県民〔性〕、山形県人の一徹など、それぞれ調和して、新しい大地に新しい民衆が創造されてゆくに違いない。青年道場を開設した主旨は、よい、正しいアイデヤであったことに自信を得たことは、私を満足させた。

一夜は五福堂にそれぞれ分宿し、明日は、愈々女子青年隊と老街基で出あい、最終日程を迎えるのである。

私はこの当時まだ、農村の結婚、男女の交際の封建制からの脱皮は、どうすべきか……と、つきつめて考えていなかった。しかし、ぼんやりながら、各団の青年男女は、仲間として交際するチャンスを、我々は気をつけて与えてやらなければならないと思っていた。農村とは、神様のような立派な人格者ばかり居る所でなく、平凡であればよいのだと考えていた。その中には色々の間違もあろう。

悪るく云えば、姦通だってあるかも知れない。テテナシ子だって生まれるかも知れない。私は、この新しい開拓村には、せめて日本内地における悪性の慣習だけは、持ちこみたくない。それよりも、私の理想は、貧乏から起因する多くの不幸が発生しないようにするには、先ず男はたくましい人間であることが必要だ。その男を内助する女が必要だ‥‥と極めて教育理論的な考え方しかなかった。

　こんな考え方だけである私が、今日、青年男子を統率し、老街基に行って、女子青年たちに出合い、私はとても十分な指導は出来ない。……「何、老街基の出井団長や菊子女史がやってくれる…さ」と度胸を決め、井上秀を指導官として通北県城に向って出発した。

県城の大路を行進する時は、井上指揮官の優秀さがことの外輝いた。青年達は、日本人の誇りを示して県公署に向って歩いた。小嶋正雄副県長に私は帰任の挨拶をして、生徒の閲兵を頼んだ。小嶋正雄副県長は、私の学窓先輩で、岸馬政局長の愛弟子、感激居士であるから、涙を流さんばかりに喜こんだ。彼は常に満洲の「行政は哲人行政である」と信じていて、特に斯うしたすばらしい精神的成果を喜こんだが、彼は、今日ほど人生意気を強く感じたことがないと、演説をした。

　他民族と雖も、真面目に農業をやる日本人をば、必ずや心から信じてくれるに違いない…と道学者〔道徳を修めた者〕の様に、前途を祝福してくれた。青年たちの眼光は烱々と輝いた。

「副県長殿に‥‥頭…中！」と敬礼をして、県公署の衛門を出て、全員が左に折れ、右に曲って大通に出た。

県公署の前方は広い空地があって、大通に面した所には柳の並木が繁っていた。十字路に至る五十米（メートル）位手前、右側には通北旅館があり、田中三四郎の経営、県公署に出入りする日本人客の旅館である。十字路をはさみ、東門方面は飯店や雑貨屋が数軒並らび、西門の方は北に郵便局と、奥まった所に満人の小学校がある。

南角に警察があった。十字路から南門に向ってゆくと、左側に五福堂の弁事処（連絡所）がある。通北県の前々県長は中々の人物で、自分の功労を讃えて記念の門を作ったと云われる古式の門が、堂々と建っていた。支那には、昔から、南門から城に入ると征覇（せいは）することが出来、北・西門から入城すると、戦いは今勝っても、直ぐ敗れて城を捨てなければならないと信じられていたから、ことの外、南門を大事にしたと云われる。

南門を出ると、西側に通北神社（廟（びょう））があった。日本人の作った廟・・・と云っていた。実は、満人達の信仰などには結びついていないもので、単なる形式的のものだった。

通北県城を出ると、満軍（満洲国軍）*兵舎があるが、もう見える限り大平原である。部落といっても満人部落は張広衆（ジャンガンジー）（五福堂の長栄）だけで、あとは五福堂本部が丘の上に見えるだけ、南にも西にも部落は見えない。西は、二つの丘を越えると駅前に至るが、丘の陰になっているから、かすかに給水塔の先端がのぞいているだけである。西には、鉄道が南北に走っている。南方は、李家駅に至る距離は長く、汽車で三十分もかかる。その間に、山らしい樹林の多い丘が延々と続いている。その東方に、老街基開拓団に属する満人部落、王治国があるだけで、通北県城からは全く見えない。延々と続く草原だけである。

満軍兵舎から二つ丘を越えると、丘はいくらか坂が急になっている。南の方が高い丘、東の方は長栄、牧場部落の丘続きで、ここもいくらか高く、その両丘に囲まれた所は大きい湿地帯になっていた。橋を渡って、行軍して行った。遥か東方湿地の中に野鹿（ノロ）が六頭遊んでいた。

私は井上秀指揮官に、「野鹿を射止める火線構成」を命じた。

作戦は、第一線兵は野鹿の後方丘に銃弾を打ち込み、我方（ワガホウ）に野鹿を追い出し、第二線が南方丘前面に陣どって一斉射撃する、ということである。

野鹿は遠方の音には鈍感だが、近い音には極めて鋭敏である。この習性を利用した作戦は見事に成功して、野鹿は我方を〔に〕向って跳躍しながら走り出した。野鹿を満人は跑子（パオズ）と称し、集団逃走を武器としている動物で、前方に油断をするのか、我々の伏兵には気がつかず、三百米（メートル）まで近づいて来た。小林平作の指揮する第二線が、一斉射撃をした。一頭、足を傷めたが、群から離れて速度が鈍った。青年たちは大声をあげて「やった…やった…」、もう小林平作の命令もとどかず、各個射撃となり、危険が起きる心配に変った。「小林！突撃せ！」

青年達は小躍りして湿地帯を突撃前進した。中々、湿地帯の前進は困難であったが、そのうち野鹿は歩行がヨロヨロになった。歓声をあげての突貫は、獲物を前にして、青年達をして、理性を失わせたのも当然である。

「やあやあ、女子青年達へのおみやげが出来たぞ……」女達に喜こんでもらうのだ……。ま

＊ **満軍〔満洲国軍〕** 一九三二年（昭和七）に編成された、「満洲国」の陸海軍。建国時の兵力は一三万人、艦艇四五隻。

るで新婚の男が、花嫁におみやげをぶら下げて帰宅する喜こびの様であった。

出井菊太郎団長は福々しい顔を一そうほころばして喜こび、男子青年を迎えた。私には持っていない体験と思想を出井団長は持っていた。心の奥から喜こぶ・・・・開拓の歓喜は、何気なく起きた事が理想信仰と融合する事実ほど、嬉しいものはないからだ。

若い青年、男と女とが、斯(こ)うして堂々と出合ったのである。心も軽いが、口も軽い男、大ラッパと小ラッパ、この男達は仲間を朗らかにし、融合の花形男である。これは、皆関東出身の開拓者であった。女子青年は、菊子女史の人生観に触れ、積極的に開拓をすすめる気概の中に、手芸など日本人女子の技術を教えてもらった喜こびを抱いていた。

それよりも、よい仲間が出来た。見知らぬ娘も男も、みな最も親しくなれる友であり、信じ合える相手でもあると、心の中に抱ける人間を得たことを喜こんだ。

出井団長は、一人一人手をとって、「又、来いよ…元気でな…」と青年達を勇気づけた。

「さあ、明日から麦播(ま)きだ…大地はもう凍結からすっかりさめたぞ…青年達よ頑張れ、そして、又、会〔お〕う・・」

私は青年道場長第一年目の成果を高く評価した。

この年代は既に大東亜戦争に突入していて、小嶋正雄副県長は戦時行政の責任者になっていた。開拓団は、未墾地の開墾と生産の拡大、穀物出荷は至上命令という理念に追いまわされていた。

五福堂開拓団が最も楽しい所、希望ある将来を持った人々の住家、若者達の夫婦生活の夢幻境など、この時代が最高潮であった。

大東亜戦争が無かったとすれば、こんなに人生の歓喜に満ちた農村生活は他には無い。開拓団においては、眼に見えるものを一般社会の尺度でみると、悲惨の様に映ずるけれども、当の本人たちは、全く異質な捉え方をしていた。エンジニヤ達が、苦心のあげく偉大な発見と創造するのと何等(なんら)変りがない、心の奥底から歓喜をよびおこすのであった。

若人の夢のあと‥‥
　ここは皇国(みくに)の何百里
　離れて遠き満洲の
　紅い夕陽に照らされて
　勇士はここにねむれるか……＊

＊　**ここは皇国の何百里……**　真下飛泉(ましもひせん)作詞、三善和気作曲の「戦友」（一九〇五〈明治三八〉作）の一節。ただし、『学校及家庭用言文一致叙事唱歌』第三篇（五車楼、一九〇五）の本文では、『五福堂開拓団十年記』第一行の「皇国」は「お国(くに)」、第四行の「勇士はここにねむれるか」は二番の第四行であり、ここは「友(とも)は野(の)末(ずゑ)の石(いし)の下(した)」。

第三部

五福堂開拓団のその後

一九四五年（昭和二〇）八月、敗戦を知らされた堀忠雄は、五福堂開拓団員を守り抜くことを決意、そのために「満洲国軍」、ソ連軍、中国共産党と次々に変わる為政者たちと緊迫した交渉を行った。第三部には、敗戦後の開拓団の動向と、開拓団の歴史に関わった者としての思いを記した堀の文章を収める。

北安駅イラスト（堀忠雄の画か　出典：『榾火』）

私は終戦にこう対処した

堀 忠雄

昭和二十年（一九四五年）八月十六日、満州北安（ペイアン）省（しょう）通北（トンペイ）県（けん）副県長本田正晴氏より私だけ特別電話召集を受けて、「日本帝国無条件降伏」のことを知らされた。県公署では、そのとき日系、満系官吏の合同離散会を開いていました。副県長に案内されてその離散会に出席したら、井上開拓科長は大声で「来い、来い」と叫ぶ。満系の人たちは全く黙りこくっていました。私は酒には弱いのですが、飲んで酔っ払ってしまい千鳥足で帰団した。六キロの道を途中何回も草の上に腰をおろして考えた。

百四十七人の団員が応召するとき、必ず団長室にあいさつにきて「いよいよ私も行きます。家族のこと、くれぐれも頼みます」という一言の人が多かった。私は「任せておけ、死ぬなよ…」を何十回も言い続けた。

六キロの道をふらふら歩いて、ようやく決心がついた。七百人近い婦女子を守らなければ。応召される人には必ず言った「任せておけ」という言葉は、男の言葉だったのか…。理屈はいろいろあろうが、とにかく五福堂（ごふくどう）開拓団本部に午後四時過ぎに帰団した。

私は本部に残っている団員に「本部にいる人々、幹部家族も全員すぐこい」と言明して待っていた。「何事だろう、団長が酔うなんて珍しい」と言う人々…。

団長室で全員に向かって「日本は敗れた…昨日の正午のラジオ放送だと、本田副県長に言われて、今帰団した」と言うと、興奮した校長が大声で「団長さん、それで、どうするんですか?」私は「待て、待てあわてるな、間違うとだめだから、言うから校長、その黒板に書けますか?」私は大声で、「断固生キ抜クベシ」校長は「断固死ぬべし」と書いたから、大声で「バカヤロー」とどなりつけて黒板の字を消し、「生キルベシ」と片仮名で直した。

私は直ちに命じた。

「小山さん(酪農会社出張員)は、吉原さんの馬に乗って遠い部落、四部落に走ってくれ。岩田坊さんは、北の三部落を頼む。校長は老年組の多い高柳と小国に行ってくれ、私は村山君と西浦と妙高に行く!」

長栄部落の有力者、綱島信平だけが招集にこなくて、奥さんが小山さんに話を聞いて帰宅しそのまま伝えたという。綱島は、「そんなバカな!流言だ!何を言うか!」と奥さんをビンタでなぐったという。最南端二十戸部落は男が二人しかいないから、翌日部落を捨てて、男(老人)の多い部落に集結した。

八月十九日午前二時、本田副県長は満軍隊長の命令を、「堀団長に伝えてこい」と言うので、満軍騎馬三人に守られて、五福堂本部にやってきた。豪雨の夜であった。

「満軍隊長の命令だ。八月十九日まで、五福堂の武器、刀剣などすべて持参せよ。もしこの命令を守らないと、満軍は五福堂の『殲滅作戦』を強行する」という命令を言葉で伝えて去った。

私は八月十九日早朝、残っていた男子全員を本部に集めた。男たちは集まってきた。家族の男子も合わせて総勢四十人ぐらい。「正午まで武器を全部持参せよ。庶務の大原君は武器台帳と照合して、絶対部落で隠すことのないように、調べろ」一人が、「団長さん」私は「何？　今、団長職を辞任したばかりだぞ。今は君らと同格だ…」「団長さん、一体私どもをどうして守ってくれるのですか」「守るなんてことは、もうできない情勢だ。無手勝流など無い…とにかく殺されるな。それだけだ」みんなは黙ってしまった。私は、もともと理屈屋で通ってきたのだから、それ以上の団員の言葉はなかった。それで私は付け加えた。「あのネ、日本人が満人に勝てるのはたった一つあるぞ。それはバカ正直だけだ」団員たちは安心したように、また疑いを深くしたように…解散した。

「十九日の正午まで武器を持参せよ」の命令だったが、全く正午には何事もなかった。台帳には機関銃一挺、弾丸四千発、迫撃砲一門、弾丸四十発、小銃二百挺、弾丸四千発、手榴弾四十発、拳銃三挺、弾丸百二十発、個人の猟銃は不明、刀剣数も不明。

午後八時、三個部落分は未到着だが出発することにした。私が毛筆で降伏文書を書いていたら、小山さんがきて「団長さん、これは本気ですか」と問うた。「小山さん、満人社会はネ、字を知っている人に紙に契約書を書いてもらい、契約人二人、立会人一人、書記一人それぞれ氏名を記して印鑑を押す文書を作ると、彼らは絶対に守り信ずるという社会常識なんだ。私は満人との交際も深いし、また満人社会とは長らく交際してきた。ご承知の通り私の支那語は北京語であるほか、満人農学校の校長を二年もやり、生徒が敬語で私に話す言葉を私も身につけている。したがって今、日本人が生きてゆくには、正直で素直に、前のように遠慮のない語り方や行動を慎むことだよ」小山さんは大声で「分かった。私を武器輸送班長に命じてください」

「よろしい。私は責任者として満軍隊長にこれを手渡しするんだ」と。

午後八時に大車四台で出発した。途中、洪水で橋が落ちていた。小山隊長は馬上で、深みのない場所を探して渡河の指示をしていたが、高橋と磯部は勝手に渡河して、とうとう動けなくなった。やむを得ず全員で武器を肩にして何回も渡河し、馬を荷車から外して渡河し、荷車だけ引き出し、再び組み合わせて出発、県城の東門に着いたのはもう午後十二時近くになってしまった。

小山隊長は東門から騎馬で走り、元県公署の満軍本部に駆けこんだ。大声で「武器返納にきた」とどなる声がかすかに東門まで聞こえた。

十分ほどして、一個小隊の満軍武装兵が東門に来て、日本人一人に二人の兵が、弾丸をつめた銃を突き付け、一列縦隊になって県公署に向かった。馬と大車そして武器、すべて倉庫に納めてから、団長の私と台帳持参の大原とが隊長の前に出て、私は降伏文書を大声(日本語)で読み、隊長に手渡した。それが終わると満軍一個小隊が、私と大原の立っている後に一列で行進してきて、「ガチャガチャ」と銃に弾つめをした。それから隊長は今度は日本語で「五福堂は正直で、命令を守ったから今日は殺さない」と言った。

私と大原が残されたから、小山隊長は団員六人と草原に伏せをして待っていた。「どうして東門まで行かなかったのか」「団長さんが殺されるなら、私どもは肉弾をやるぞと待っていたんです」「ありがとう、もう今から丸腰だ」月は皓々（こうこう）と照っており、大陸の荒原は音もなく更けていった。

本部にたどり着いたのは八月二十日午前二時であった。本部では妻たちが、銀飯のおにぎりを作って待っていてくれた。

八月二十日、五福堂地区は晴れあがって明けた。望楼に測量用の望遠鏡をつけて人の通るのを監視していたが、全く人通りのない静けさだった。

〽国破れて山河あり
城(しろ)春にして草木(そうもく)深し…か？

そうだ、芭蕉は「夏草や　つわものどもの(ママ)　夢のあと」と句を詠んだ。

〽天上影はかわらねど
栄枯は移る　世のすがた
うつさんとてか　今もなお
嗚呼(ああ)荒城の夜半(よわ)の月…

私は独りになって心の奥で思い続けた。

八月二十一日夜、小雨。私は笠をかぶって高い望楼に掲げた日章旗をはずし、小野指導員（内地に帰り死亡）が形見に残した都山流(とざんりゅう)の尺八をもって望楼に登り、追分節(おいわけぶし)の前唄から思いっ切り吹き流した。

尺八の音を耳にして、保健婦さんが望楼の下にきて泣いていた。医者の渡辺先生も尺八を持ち出して家の前に立っていた。

八月二十二日、数人の満人が棍棒（こんぼう）を手にして本部土壁の外にきた。私は丁寧な満語で「よくきたネ」と話をした。そうしたら、親指を立てる姿勢になって私に言った。

「…老百姓（ロウバイシン）説呀（ショウヤ）…五福堂（ウフータン）団長（トワンジャン）…好人呀（ハオレンヤ）」それには私は答えなかったが、私は支那人の格言を知っているから、眼をおだやかにして一言だけ「謝々（シェシェ）」と応じた。

支那の格言「不好人当兵（ブハオレンダンビン）、好人不当兵（ハオレンブダンビン）」（直訳　悪い人は兵になる、よい人は兵などならない）この兵（ビン）というのは、人間の兵という意味と武器という意味とが複合していて、五福堂は全武器を満軍に納めた、その第一号だという見解だということは、私はすぐ理解できた。そして八月二十二日の夜から、各部落は強盗団に襲われたが、団では全く無抵抗で、婦人たちは子供を連れて逃げ、畑の中に隠れた。本部から北四キロの部落は、全員裏の玉蜀黍（とうもろこし）畑に子供を抱いて隠れ、朝を迎えた。清野トシエは男の子二人、明けて朝、みんな北のホイル河の激流に身投げしようと主唱し、モンペの紐をつないで早く早くと叫んでいた。

神主をやっていた品田は「おい青山、本部に行って見てこいよ」青山は道路から東の草原に出て本部に向かった。途中満人に出会ってしまった。満人は青山をつかまえて言う。「団長ハ死ンダゾ」青山君が本部にきて、私の顔をしげしげと眺めていた。「青山君、どうしたのか？」何も言わずに私の顔を見ているばかり。「早く部落に帰って本部にすぐ集結せよ」と私は言った。

満人たちの襲撃とは…本当に戦時の日本人による統制がひどかったから、衣類の欠乏が甚だしく、また反満抗日分子は、日本人ばかりに綿布の配給がされているからだとの逆宣伝が、戦時中から裏工作されており、一般満人大衆は「この日をねらっていた」のであることが後日分かった。

五福堂地区内で、私どもと一緒に生活してきた十戸足らずの満人たちは、私が家畜を全く無償で贈与していたから、匪賊(ひぞく)には組しなかったようだった。五福堂の武器返納を、最後までぐずっていた平林部落の老人は、明けて八月二十日、どこかの満人に射殺された。それでびっくりして、全員本部に集結してきた。

同じく分村計画の先発隊、高柳部落は暴民に抵抗していたから、暴民たちも「火の矢」を打ち込んで草葺(くさぶき)屋根に火をつけた。それで本部・学校校舎に集結してきた。

長栄部落の綱島信平も敗戦を認めたが、本部集結を拒否し、二十戸の共同生活を持続していた。そしてオンドル構築祝をして、合宿を始めた九月十七日十時ごろ、匪賊に夜襲された。窓(カン)から発砲されて早川の女の子が即死した。そして全員地べたに座らせられた。匪賊隊長は「綱島来々(ダオライライ)」と一声、綱島信平、立ち上がると銃で一発、「ボカン」声も出さずに即死した。

私どもは本部の望楼から眺めていた。チラチラと灯火だけが見えた。小山が言った。「団長さん、行ってみようか?」「それは止めろ。必ず逃げてくるから」そして九月二十日朝、生き残りが本部に集結してきたが、もう宿舎にできるのは加工場しかなかった。

長栄の人たちは、自分らの部落の約一ヵ月の生活で、まず子供らの健康が悪化していた。本部に集結してきてから、どんどん子供らが死んだ。

長栄のこの事件の前のこと、長栄には男子が四人未召集でおり、ある日滝沢、中村両君が私のところにきて言う。「団長さん、手榴弾をください…」「何？　手榴弾を団本部で隠し持っていると思うのか？　一言でもそんなことを言えば、五福堂はまだ武器を隠していると満人に吹聴されるぞ」

その翌日、綱島が私のところへ汚い麻袋を持ってやってきた。「滝沢君らが全員で自決しようと決議したから、私はこうして汚い姿でみんなのところに出かけて行ったよ。私はこう言った。『皆さん一緒に自決なさるそうですが、全員残らず死なれては、あとは線香もローソクも立ててくれる人がいなくなるから、これこれ、わしが持ってきたよ』男子四人が二人ずつ、自決組に分かれていた」と綱島は私に語って帰って行った。幸い自決はまぬがれたが、九月十七日の被害は大きかった。即死二人、負傷者二人、加工場に集結したあとも、病人が多く出て、また死亡した。

諦めて、昭和二十一年（一九四六年）三月末、私にかくれて早朝北安市街四十キロの道を歩いて脱出して行った。北安では生活環境は悪く大人は全員発疹チフスにかかり、子供らも多く死亡した。

内地の分村計画の先発隊として入植していた岩船の平林出身の人々も、家族が多いから働く人も多い、従ってよい生活ができるだろうと予想して北安に脱出して行ったが、この部落の大人たちは皆発疹チフスにかかり、男子三人死亡、婦人と子供たち（少年少女）だけ生還はしたものの、渡満するとき、既に家屋敷は売却して入植したのだから、母村では受け入れが困難であり、なかなか幸せは巡ってこなかった。

前後の満洲は、中共と国民党の対立が始まった。ソ連が北安に入城したのは、昭和二十年（一九四五年）八月二十日、黒河（こくが）に侵入したのは、八月九日で、わずか三百キロの北黒線を守備しながら南下が遅く十五日もかかった。そして通北県にソ連軍がきたのは八月二十三日であった。

八月二十五日、小野マツさんが望楼での監視役をやっていた〔て〕叫んだ。「あれ、あれ、真っ黒になって大量の満人がくるよ」五福堂では竹槍の訓練を婦人たちにやらせていた。私は大声で叫んだ。「角山、みんな槍を草むらに隠して加工場のあたりまで集まれ…」

私は代表して大群に両手をあげて静かに前進した。ソ連軍は横に散開して、ひざ撃ちの構えに入った。それでも私はかまわず前進した。「堀団長、不怕（ブバー）来来（ライライ）」と叫んだその人は、何と私の知人、黄（ホワン）さんだった。私は無事黄さんの通訳で、ソ連軍司令官（大佐）ほか将校だけ本部庁舎に案内し、ソ連兵は本部土壁にマンドリン銃で守備についた。本部には私の妻だけ入れて、紅茶を出させた。だれも飲まなかった。私は中国語で黄さんに通訳してもらった。「五福堂には男性が四十人だけで兵士は一人もいません。また武器は八月十九日満軍にすべて渡し、全く団には武器がありません。そして婦人、子供だけで約七百四十人います。この人たちが自力で越冬し生き続けていくには、この私どもが作った畑で自立していくしかありません。どうか、ここにとどまって生活を続けることをソ連軍は許可してください」と話した。黄さんがどんな通訳をしたか、私には分からなかったが、しばらくして「許す」と言う一言だけで、施設を見て歩かれた。電話交換室を見て「これは全部県に出せ」という命令だけで、加工場の味噌、醤油などは「出せ」という命令はなかった。

八月二十六日朝鮮人の青年が使いにきた。私は直ちに通北県城に出かけた。元県公署の日系人があぐらをかいて並んでいた。井上開拓科長は「堀さんも来来（ライライ）！」と大声で叫んだ。私は案内されてソ連軍司令官室に入れられた。昨日、私が面会したソ連軍司令官は、私に腕章を渡された。それには「日本人宣撫（せんぶ）班長」と記されていて、大きい判が押されてあった。

私は今日からどこを歩いても安全だ、ということになり、早速、奥地の開拓団に武器返納の勧告に回り始めた。各団も全く抵抗せずに続々と県に輸送してきた。県北の各団はこうして武装解除が完成した。ただし、川の北側から東火犁（ライ）に集結していた小柳義勇隊は、私に訴えた。「小柳は東火犁に集結するとき、義勇隊に配分されていた小銃と弾丸は、全部川に捨ててきたからどうしたらよいか」という質問だった。それで小柳の団長を連れて県城の警察署に行き、その事情をそのまま伝えて、川から銃器の引揚げを監視してもらい、全部回収に成功した。

正直は今の日本人、特に武器を持っている団体にとって、必要なことであり、本気で武装解除に応じ、従順な態度をとることが生きられる第一歩であった。この情報は県南開拓団にも知らされていたらしい。県南開拓団の代表が騎馬で山の中をどう歩いてやってきたのか不明だったが、午後早く五福堂までやってきた。

九道溝（群馬）掛川団長、天乙公司（千葉）平井団長・趙木匠（埼玉）山本団長・義勇隊（山形）

鹿野団長に言った。「皆さん方のお話を聞いていると、ほとんど武勇伝ばかりだ。私は反対です」掛川団長は「堀団長の対策を教えてよ」と言うので、「何も対策なんてありませんが、私が団員たちに言ってることは、まず『殺されるな』それには、満人よりはるかに人格的な行動は、なんでも『バカ正直』だということですよ」「バカ正直か…」と。

終戦後の通北県の実情は、ソ連軍支配により新県長孫亜民が赴任された。私と曙義勇隊経理指導員と挨拶の面会をお願いしたら実現した。孫亜民県長は、元反満抗日軍北安隊長で、普段は克東県に家畜商人として開業していたという。経理指導員木俣慶一郎と最後の取引き支払いは、終戦直前であったため友人扱いにされた。

孫亜民新県長の召集された各団の幹部への言明を、孫亜民に指名されて私が通訳をした。その後は厚い交際をいただき、居留民会長に任命され、また事務所開設の世話になった。

孫亜民県長の援助は左の如し。

(イ)豪雨で流出した橋の修理を命ぜられたから、五福堂の男子を動員して山林より用材を人力で運び出し(約十キロの距離)橋を完成させた。そのためにソ連軍が残して行った古い粟(原穀)を食料として五福堂にいただいた。

(ロ)ソ連軍の婦人要求がひどくなったから、孫亜民県長にハルビンから商売人を買ってくるからと申し上げ、代金を現金で六千円をもらい三人を派遣したが不能…そのまま謝ったら許された。

(ハ)居留民会には連日、満人たちが来室されて談笑、そして「応召家族を妻にしたいから、あっせんしろ」と申し出ばかり。満人には、日本人の応召ということはどうしても理解されない。彼らは当兵（ダンビン）武器を持っての団体加入だ。妻子とは関係がうすくなったと理解していたようだった。これをうまくだまして断るのは、支那語のできる私の任務にされたようであったが、とにかく拒否した。兄貴扱いにすると彼らは紳士になった。これは二十年〔一九四五年〕十一月ごろ、方正県の実情が満人たちによく伝えられていたからだった。

(ニ)十二月になってから、元通北県満系県公署の人々が、中共より派遣された将官を通北駅前で射殺した事件が起きた。町民は情報が早く、「翻過来々（ファンゴンライライ）（革命）」と叫び始めた。私ども居留民会に六人の満系がピストルを手にし、「八路（パーロー）、八路（パーロー）」と叫び走って入室してきた。とにかく私どもはホールドアップしていたら立ち去った。二日後北安からソ連軍が通北に再びきたから反政府行動は終わった。それが原因で県政府は通北から南方三つ目の駅、通康に移転、駅前実験場の小西・武井両君の台車で孫亜民の荷物を運搬し、元の県公署は新しく供給部となった。

供給部の内容はよく分からなかったが、まず男子の技術者（主として大工・本式の大工のほか、素人大工まで）が雇われた。宿舎、食物などはるかに良好だったから、希望者が増えた。

西火犂の丸山団長は、応召家族で子供のない婦人を張供給部長に秘書という上品な職名のもと同居させたから、居留民会の若者は訪問していろいろな物資を供給された。

丸山団長のウラ工作が効をそうして、丸山団長ほか多くの新潟県出身者は、北安供給部に仕事を見つけて生活するようになった。

駅前実験場の小西義太郎は、実験場の乳牛と共に北安に移動させられた。北安に乳製品工場を設立させられ、ここにも通北県から婦女子が雇用させられた。

私どもは昭和二十一年（一九四六年）九月三日に開拓団を放棄して、通北駅前に集結した。

通北の供給部は孫呉に移転する計画から、供給部の大工たちはトラックで孫呉まで連れていかれて宿舎の準備をしたという。それが中共軍の旗色が良くなったから、孫呉移動は中止となった。供給部に採用された人々は、昭和二十一年九月の通北県開拓民の総引揚げからはずされて、留用が続けられた。空いた五福堂小学校校舎に昭和二十二年（一九四七年）の春から宿泊し、北安で働いていた供給部の人々が柳毛溝（りゅうもうこう）開拓団（奥地）で阿片栽培（四十町歩（ちょうぶ））に動員作業させられた。そして昭和二十五年（一九五〇年）に全員日本に帰還が許可され、奉天まで南下したが、その時に朝鮮戦争が始まり、日本への帰還が不可能になり、奉天に満洲各地から集結したが、日本人組織は解体させられて、好きなところに行けという命令だった。五福堂から丸山西火犂団長の斡旋で、供給部に行った応召家族たちはやむを得ず日本人男子を探して結婚し、主として鶴崗炭砿や撫順炭砿などに散ったという。そして昭和二十九年（一九五四年）、ようやく帰国することができたようだ。

中共軍の旗色が悪くなったという政治状況など、通北に残っていた私どもには知る材料はなかったが、だんだん生活が苦しくなってきていたからか、通北駅前に残された元日系官吏らが、早く南下したいと動揺した。それで警察では、居留民会に日本人の考え方調査を命じてきた。

(イ)ハルビン南下希望者　元日系官吏、満拓出張所長、学校教職員

(ロ)北安希望　西火犂団長ほか団員、東火犂団長ほか団員
(ハ)現地定着希望　堀団長、西火犂報国農場長、柳毛溝岐阜開拓団、鶏走曙木俣指導員

名簿ができたから、通北警察の謄写印刷をしていた居留民会の大原佐五郎と坂本は、駅前においての中共派遣将校暗殺事件を知った。通康の県政府より連絡があり、私と木俣副会長と県政府に出頭せよという伝達があった。

初めての汽車旅行、そして通康駅に降りてびっくりした。駅前から道路上に、小麦粉で作られた見たこともない食べ物がずらっと並べられて、売り人が大声で叫んでいた。

県政府に到着したら秘書長が出てきて「待っていた、よくきた」と今までにない丁重な言葉で話された。私は感謝の言葉を申しあげた。「私ども開拓団では一部病死した人も多いが、大部分は餓死することもなく、丸々一年余り生活させていただき、私は代表して謝意、国際協定による日本人帰国許可、有り難く、早速各団に通告いたします」と、そうしたら秘書長は「希望すれば残留されてもよろしい。医療なども十分施すから心配なく残ってください」と申し添えられた。早速私は東火犂の人たちに伝達に行った。木俣さんは柳毛溝方面に連絡された。県南は県政府から直接伝達されたという。私が東火犂に行ったら、佐藤団長は病気で休んでいると言うので佐々木校長に話す。「堀団長さん、そのお話、まただまされるんじゃないですか?」「それは今回は国際的な話ですから大丈夫です」。

続いて県政府から張政治委員が五福堂にこられた。張委員は昭和二十年〔一九四五年〕九月ごろ、五福堂にこられて「英文のゴルキー著書」を私に渡して、そのうちこの著者についてお前

と討論してみようと言われたから、辞典頼りに一生懸命読んだが、それは実現しなかった。その張委員は命令された。

「三十五歳以下の男子及び子供のない婦人はしばらく中共工作に奉仕してもらう。今日は全員の調査をする」そして一人一人きびしく調査された。

堀団長は、この地を国営農場にすることになっているから、その指導に残ってもよい。これは冗談でなかったから、付いてきた日系共産軍二人に、妻と友人の妻たちが陳情して許してもらい、帰国が許された。

「昭和二十一年〔一九四六年〕九月三日正午まで、全員五福堂を出発すべし」という指令であった。

九月三日朝に死亡した団員の子供もあったが、岩田豊稔さんの錦の法衣に、元小野指導員の分骨、岩田さんの妻の遺骨、私の三男坊の遺骨ほか百余人の遺骨を法衣に包んで埋葬し、木の柱を立てて、昭和十二年〔一九三七年〕六月十九日からの開拓は閉鎖した。

私は本部の大扉を閉めて、人生最大の情熱を注いだすべてに別れを告げました。


【出典】平和祈念事業特別基金編『平和の礎　海外引揚者が語り継ぐ労苦　Ⅷ』平和祈念事業特別基金、一九九八・三

満洲開拓団受難を考える

堀 忠雄

満洲開拓団の受難は、戦前・戦後と二つの受難期があった。
第一次屯墾隊弥栄村が佳木斯永宝鎮に入植した日から匪賊との戦闘が始まった。第二次屯墾隊千振も同様であった。

これを中国人から見れば、『日本人が来て土地を取りあげるのだ。子種さえ絶やす暴挙に出るだろう。』という民衆感情が現地の中国人の不安をあおった。土地の豪族、謝文東は民衆感情の代表者として数千人の中国人の武装農民を動員をして日本人屯墾隊を包囲攻撃した。

又、海倫に根拠を持っていた馬占山は、日本軍は憎むべき裏切者であるが、朝鮮人農民と日本人農民は中国農民の先生だから仲よくせよと部下に語っていた。

（注）昭和十二年（一九三七年）頃より北安省通北県で県長職にあった千文英氏は馬占山軍の参謀格の人であったが、この人が開拓団員に語ったものである。

開拓団は謝文東、馬占山的反満軍を『匪賊』と呼んでいた。

満洲国が整備され、秩序が維持され始めると、匪賊は漸次中国共産党やソビエット共産党の手先工作員化した。

終戦になってから前記の工作員達はソ連軍が満洲を占領するや急激に抬頭した。そして新しい中国県政府（満洲国時代は県公署）の県長や公安局長やら、その中枢の地位に座ったのであった。

そして懐古して「何々地区工作隊の宣撫工作と反満抗日戦」をやったと言った。

日本人開拓団の入植地選定にあたり、中国人は「土地の取りあげ追放、かつ中国人の子種絶やしの暴挙もやりかねない」という誤解と宣伝に躍り、日本人武装開拓団を眼の前にした中国人は蜂起した所もあった。たまりかねた張景恵国務総理も熟地買収を中止させるため秘書官松本益雄を小磯国昭総理大臣に派遣して要請したが、下級官吏はこれを無視して「全県買収案」を本気に提唱する日系官吏さえあった。

「土地を取りあげられた農民」と「土地を取りあげた農民」と対立することは、世界何処の国の民族もこの感情は同じである。この世界通念に顧みることのない満洲開拓政策のあやまちは、「買収官」のみが負うべきで、「開拓団員」の責任でないことを私達は主張したい。

それにも拘らず終戦後中共政府に留用された開拓団員は、「中国の土地を侵略して悪いことをしました。」と詫状を書かされた。

「買収官」の日本人は多分満洲の未墾地を開拓する能力がないと判断したからであろう。確かに当時の日本人は力量が不足していた。

(注) 紀元二千六百年祭の当時、海外同胞が東京に於て一堂に会して懇談した際、メキシコ、南米日本人開拓者から満洲開拓団の他力依存心を指摘された。

終戦後動乱に際して、日本開拓団のうち全然熟地を買収せず、未墾地を自ら開墾し、熟地化し営農を建設した開拓団は、そのまま終戦後もそこに留って無事生活していた事例は、上述の意味を明確に証明するものである。

（注）例……北安省通北県通北地区開拓団
第六次五福堂開拓団
第九次西火犁開拓団
第九次東火犁開拓団
第十次柳毛溝恵那開拓団
第十二次東柳毛溝岐阜開拓団
第十二次鶏走山県開拓団
義勇隊第二次曙開拓団
は全員現地残留、昭和二十一年（一九四六年）九月迄営農自活していた。

これに反して、現地住民の熟地も部落も買収し、従来の自作満人農民を小作民に転落せしめた開拓団は、反感その極に達し、終戦直後大惨劇をよび起こした。

又、国境地帯に入植していた多くの開拓団は八月九日未明、突如として進攻して来たソ連軍にじゅうりんされ、戦場に残されたのは開拓団の婦女子だけであった。あの惨劇に対しては理屈なしに、関東軍・ソ連軍はその墓標に合掌してその霊に己が罪を贖うべきである。然るに、あれから三十年経ても日本人は墓標を立てに行くにも行けない世界情勢になっている。

（注）満州作戦敗戦の色濃くなった時代、関東軍及び満洲国側と討議した際、開拓団は軍機密の洩れる惧れありと称して無保護無施策を決定した。（古海元総務長官談）

ソ連軍戦車隊は逃避する開拓団の集団を包囲し、現地暴民の残虐を煽り立てていた。西部葛根廟に於ては逃走日本人二千人の代表者が挙手降伏のため前進したのに之（これ）を射殺し、遂に二千人が自決に追いこまれた。

ソ連軍進撃するや現地の関東軍家族及び満鉄社員及び家族は汽車を独占して逃亡し、開拓団はそのまま放任され、止むなく山野を彷（さまよ）い、難を逃れようとする婦人子供が疲労飢餓に耐えていても、行く先が行詰まれば自決するのは当然であろう。

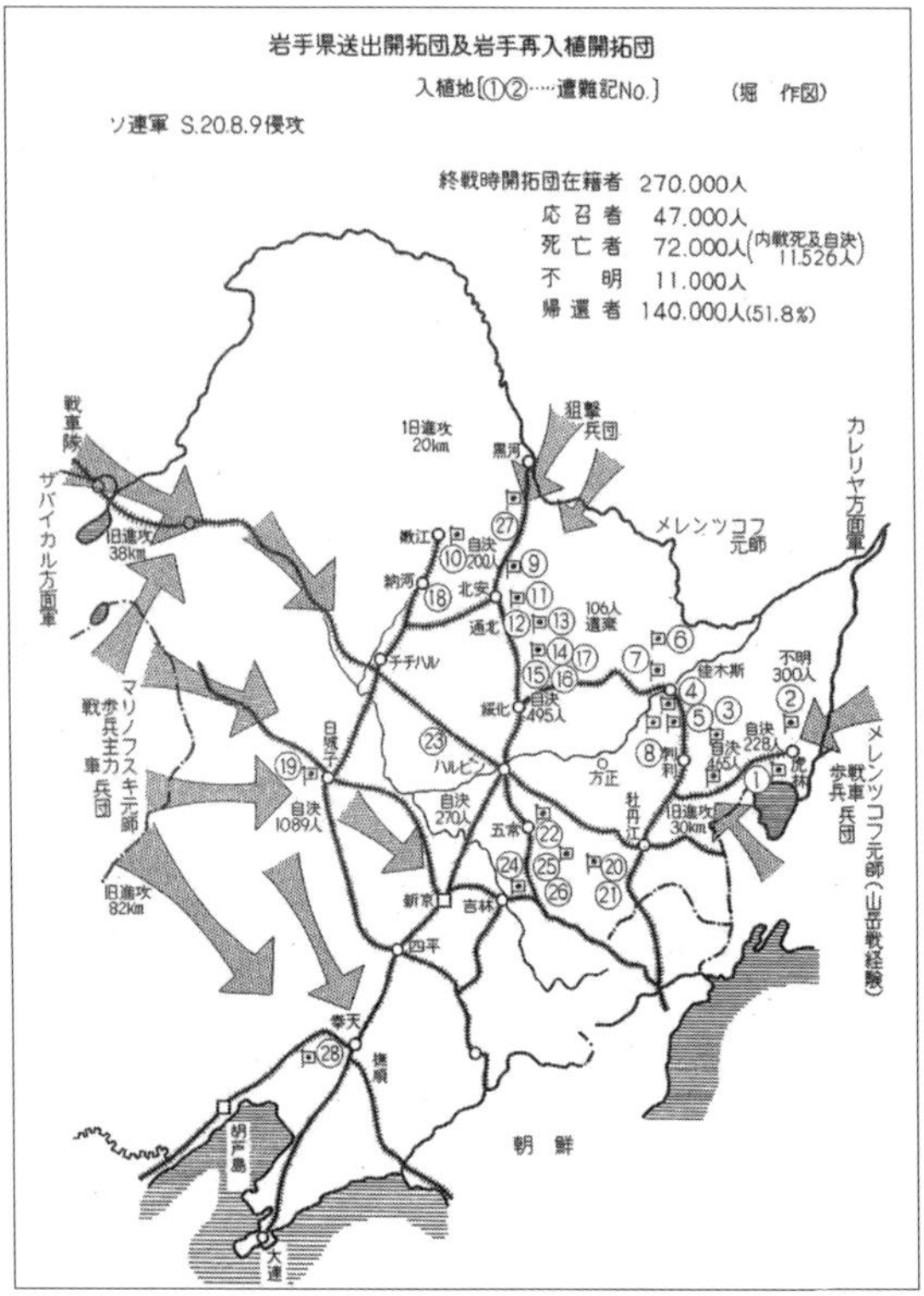

岩手県送出開拓団及岩手再入植開拓団

入植地〔①②……遭難記No.〕　（堀　作図）

ソ連軍　S.20.8.9侵攻

終戦時開拓団在籍者	270.000人
応召者	47.000人
死亡者	72.000人（内戦死及自決 11.526人）
不明	11.000人
帰還者	140.000人（51.8%）

斯（こ）うして満洲の荒原に白骨を曝（さら）し、今なお省みる人もなく、墓標もなき仏が八万人いるのである。

衣食足った今日の日本人、このことを静思する時誰かこの薄幸の開拓団の冥福を祈らざる者あらんや。

【出典】堀忠雄編『満洲開拓追憶記　第一集』岩手県満洲開拓民自興会、一九七四・九

開拓忌三十三年

堀 忠雄

昭和九年（一九三四年）三月の初、大同年間に私は奉天北大営国民高等学校に職員として渡満した。初めて経験する満洲農業だったので生育調査と植物生理学的追求をして満洲農業を考えてみた。奉天からハルピンに学校全部が移転、これは小野少佐の努力で実現した。

奉天にいた当時、第三次瑞穂村が入植する時、団長の林恭平は京大出身で正規の軍籍は経験していなかった為、関東軍が反対し、しばらく私共と奉天で待機していた。瑞穂村の先遣隊も北大営に待機し、私はその寮の寮長をしていた。

特に私の寮にいた宮城県南郷村出身の少年達が、東宮大佐の要請で饒河に入って行き満軍の軍籍に編入されながら大和村の建設を目標とするため奉天北大営から出て行った。

この人達が義勇隊創設のきっかけになった人々でした。豪快な男、西山勘二にひき連れられ「いざカマクラ」となればアムールを渡ってシベリヤ鉄道を爆破するんだ……とさえ語り続けていた少年達でした。

昭和二十年（一九四五年）八月九日、ソ連軍は、どうもこの饒河を殲滅したらしく、私はそこの引揚者を三十年間探し歩いたが、一人も発見できない。

私が訓練にあたっていた第三次瑞穂村の人達を残して林団長が海倫農学校を兼務していて、そして応召した。

その校長職を私にやれと要請されたが、私は断って五福堂から離れなかった。

その第三次瑞穂村が終戦後現住民と治安維持隊にせめられ、遂に自決に追いこまれてしまった。それは団長が不在だったからだ。その北大営部落に花嫁となり嫁いでいた私の郷里の人も母子全員死亡している。

郷里の人の中には「親が吾子を殺したんだから自分で死んだのは当然のむくいだ…」と戦禍をしらない日本の人々は批判していた。

私は残念で残念でたまらない心境が続き、それが年が経つにつれ、益々募ってくるばかりであった。

「生きて帰った…」ことは私の母を驚かせたらしい。私は当然殺される運命の人だと私の母は考えていたらしいが、生きて帰ったことに心から喜こんでもらった。

私の母が私を待っていたと同じ運命の人は「吾子は帰ってこない…」と泣いた母親となった人、一体何万人あったでしょうか。

それを考える私は安楽に日本で暮らし、安楽に年金をもらって生活する人生計画など、むしろ「団員達を裏切る団長」になるような気がしてならなかった。

「岩壁の母」の歌をきく時は、いつもそんなことをふっと考えてしまう。

私は満洲開拓をやって農家と農村を良くする以外は何も考えなかった。加藤完治先生が新京会議のとき、義勇隊を引きうけろ…と各団長にせまられた夜、私はきっぱり断った。先生は「堀君、何んで反対かねエ」といったので即座に答えた。「同年令だけの人達だけで開拓村を創設することはできないだろう。農村は老幼男女が混成していて、当り前の人達が農業をやってゆく場所なので、理々（ママ）特別の社会を創設する考え方には同意できない。そのうち、青少年達は身体が強健だから、ぞっくり兵隊に連れて行かれてしまうだろう…」加藤先生は黙ってジローと見て考え込み第二次の宗（そう）団長も一歩置いた考えを表現をしたので、先生と初めから満洲開拓を創設した第一次の山崎芳雄団長に向き直って、例の渋い声で言い出した。

「山崎君、君が引き受けてくれ。いいねエ」

「ハイ」

これで山崎団長が伊拉哈（イラハ）に訓練所開設を決心したのは、昭和十二年（一九三七年）九月の第一回団長会議の前夜であった。

当時、五福堂は黒龍江省（こくりゅうこうしょう）から龍江省（りゅうこうしょう）に編成替したばかりであったから、龍江省に連絡旁々（かたがた）チチハルに出た。龍江省次長の神尾という人は伊拉哈訓練所のアンペラ造の天地根源宿舎は不衛生で、青少年の逃亡者が増え、その保護で大へんだ……団長達は偉いことをやってくれたものだ。後始末は満洲国側がやらなけりゃいかんことになった、と気炎をあげて批判していた。私はそれでも、やり出した以上、青少年義勇隊運動には協力しないと、私は恩師加藤先生にすまないと決心し、神尾次長の言辞には何も答えず、用件をすませて五福堂に帰団した。

未墾地に入植した私は、この開墾は満拓のトラクター班がやってくれたので良かったが、次年度からの農耕には、全く農具が無かった。

考え込んでいる所に満拓にいた農機具係の玉村がきた。彼は東大出身で、私とよく競技場で顔をあわせていた間柄だったから、思い切って、アメリカ製のインター会社から畜力用大農具を大量導入を彼にたのんだ。それを聞きこんだ加藤完治先生が、私に手紙をくれて「農具と家畜の導入を急ぐな」と注意してきた。私は加藤先生の訓辞にそむいて、金で解決できる農具と家畜導入を急速に実行した。満人に依存しない村造りは、先ず日本人の能力を発揮する前提条件を創り出すことだと信じていたので、先生には申し訳ないが、「やれやれ」と前進を決心したのであった。後に綏稜の長英屯義勇隊溝口団長が訪ねてきて、アメリカ製のリーパーを譲ってくれとたのみにきた。その時代はもう日本の農機具界は戦時産業の影響をうけて、大農具の製作は駄目になっていた。

　こんなことを思い出すと、開拓団の建設は、関東軍も日本政府も満洲に本当の農民と農村造りに頭が向いていなかったように思えてならない。

　ひいては、我々団長クラスも、知らないうちに団員達の農村建設の理想にブレーキをかけていた様に思えてならない。

　最も私が「これは大変だ」と考えさせたことは、昭和二十年（一九四五年）四月、北安省の団長会議に於て開拓総局長五十子巻三が、「満洲開拓民の生命財産を関東軍に奉還する」運動案の説明演説をきいた時である。どう考えてみても血迷った政策としか考えられない…何で私達開拓民は挙げて通化省に集結して、百年戦争などしなければならないのか……私は三十四才の若手、古参団長であったから代表して五十子局長と、列席の関東軍参謀にその案の不当を難詰した。そして、せめて団長だけは召集するなと総動員法にたてついた。それからは、いろいろの情報がブッツリ切れて流れてこなくなってしまった。

　今思えば、昭和二十年の当初から関東軍や政府は、開拓団のことなど全く考慮に入れていなかったし、又私は肌でそれを感じていた。「もう誰にもたよれない」と私は心の底で決心したのはこの日からである。終戦直前の大量召集令状がきた。洪水で汽車不通となり、入営見込が立たなくなった時、私は団員の召集令状を集めて燃やした。

　しかし、いくら団長が何を決心しようが、僅か二百戸八百人の人口で孤立国など造れる筈はなかった。それだけに終戦後の団員家族は「被保護」という国民の権利など爪のアカほども無くなり「敗戦民族として草原の中で孤立」する結果となったように思えてならない。

　それから三十年、昭和四十七年（一九七二年）から岩手における総ての公務を捨てて、私の団員家庭の訪問に着手した。

　今まで忘れていた私の呼名「団長」という呼称が再び使われ始めたのであった。

　枕を並べて共に寝ても深夜まで話が尽きない毎日が続いた。

　死んだ子供のこと、死んだ妻のこと、死んだ夫のこと、など私は常に質問側に立ち、又苦痛や歓びの聴き役に廻った。

「何んとも答えられない」ことばかり多かった。ある親友は斯う考え続けていることを知った。

「俺の次女は可愛い子供だった。頭も良かった。その子供が第二松花江で死んだのは納得してるが、埋めたんでなく、そこに放り投げてきたに違いない……？」
（注）この人は応召して妻と子供四人が五福堂に残り、彼がシベリヤから復員してきた時は、長女の娘一人

しか生きていなかった。その娘も死んだ妹の始末には全く記憶に無かった。

彼は私を車で案内しながら、何百粁（キロメートル）も走り廻ったが、納得のゆく次女の葬ってきた実態が判明しなかった。

…「どうしても明らかにしなければ死に切れない…」という事柄を私達は身に内蔵していることを知った。丁度悪くもならない、治りもしない癌を体内にもっている様な人間であるように思えてならない。

全体主義、統制主義時代の統領たる地位に置かれた「開拓団長」として、心ならずも起きてしまった事項を放任しておくことは、同志に対してすまない事柄だと教えられた。

今さら満洲開拓の是非論など何の値もしないが、その開拓者の生死とそれに関する事実を明らかにすることは、日本人として日本の歴史を動かしてしまった者として、当然明らかにしなければならないと言うことが私の責任であるのだと、私はこの旅行でしみじみ教えられた。

「生きがい」とは、疑問を晴らして、僅（わず）か十年足らずの満洲開拓事業で結ばれた友情を復活させることで二度と得られない貴重なものだと教えてくれたのは、多くの婦人達、今はお婆さんになってしまった、五福堂の「むかしは大陸の花嫁」達からであった。

「満洲開拓の追憶」を私は斯（こ）う考えるようになった。

日本の昭和史の中で満洲開拓は斯うして終りを告げたと言い残しておくのも我々の責任である。

【出典】堀忠雄編『満洲開拓追憶記　第四集』（三十三年忌特集）岩手県満洲開拓民自興会、一九七七・八

解説　堀忠雄『五福堂開拓団十年記』について
――未墾地に入植した満蒙開拓団長の心の記録――

小松靖彦

一　満蒙開拓団について

満蒙開拓団の派遣

一九三二年（昭和七）から一九四五年までの一三年間、約二七万人の日本人が農業移民として「満洲国」（中国東北部）に渡った。一九三二年から一九三六年までは農業経験のある在郷軍人を中心とする試験移民であったが、一九三七年からは、「国策」として、同じ地域からの大規模な集団移民が行われた。この時から、満洲農業移民は「移民」「移民団」から「開拓民」「開拓団」と呼ばれるようになった。

「開拓団」は、戦前には「満洲開拓団」とも言われた（「満蒙協議会」「満蒙植民事業」などの呼称はあった）。今日では「満蒙開拓団」という名称が一般的であるが、それは、開拓団が派遣された地域に「蒙古」（現在の内モンゴル自治区）の一部が含まれているためである。この解説でも試験移民期も加えて、「満蒙開拓団」の語を用いる。

近代日本は耕地不足と農村人口過剰という問題を慢性的に抱えていた。そこに世界恐慌

（一九二九年）に端を発する昭和恐慌（一九三〇年）という打撃が加わった。繭価が暴落し、養蚕業に依存してきた農家の経営が逼迫した。政府はその対応策として、満蒙開拓団の派遣を行ったのであった。

派遣に先立つ一九三一年九月に、大日本帝国陸軍の関東軍（日露戦争で得た遼東半島〈関東州〉と南満洲鉄道〈満鉄〉の付属地の守備が本来の任務）は、自作自演の満鉄線路爆破（柳条湖事件）を口実に、一気に中国東北部を占領し（満洲事変）、一九三二年三月に清朝最後の皇帝愛新覚羅溥儀を元首として「満洲国」の建国を宣言させていた。大日本帝国政府は、この「満洲国」に農村の過剰人口を派遣することで、日本国内の農業の立て直しをはかるとともに、「満洲国」における日本人の人口比率を高め、「満洲国」の実質的支配を確実にすることをめざしたのである。

また、「満洲国」の真の統治者である関東軍も、満洲事変直後から安定した支配を実現するために満洲移民の計画に着手した。しかし、それだけではなく、関東軍は、反満洲国抗日武装集団に対する防衛拠点として、移民団を「満洲国」内に展開することも考えていた。

満蒙開拓団を待ち受けていたもの

広大な土地を開拓する夢を抱き、あるいは「王道楽土」・「五族協和」（漢族・満洲族・蒙古族・朝鮮族・日本人の調和）という「満洲国」のスローガンに魅了され、あるいは地方の有力者たちの説得によって「国」に対する使命感を自覚して海を渡った移民たちは、驚くべき現実に直面した。

ごく少数の例外を除き、開拓団に割り当てられた土地は、当時「満人」と言われた現地住民の既墾地であった。それらの土地は特殊法人・満洲拓植公社が現地住民から極めて安い価格で買収したものであったのである。満蒙開拓団は、移住当初から、土地を奪われた現地住民の反感を潜在させることになった。

また、既墾地・未墾地にかかわらず、中国東北部の風土に合った農業技術の研究が日本で十分に行われておらず、さらに農業経営の方法も、現地住民を相手に競いながら内地並みの生活水準を維持できるほどの力はつけていなかった。満蒙開拓団派遣が行われる以前から、多くの農学者や経済学者はこの点を危惧し満洲農業移民に反対していたが、移民を可能とする農本主義指導者の加藤完治（かとうかんじ）や、農学者の那須皓（なすしろし）、橋本伝左衛門（はしもとでんざえもん）の強力な主張にリードされ、政府と関東軍は派遣を強行したのである。満蒙開拓団は厳しい生活条件を強いられた。その改善のためには、自助努力に頼る外（ほか）なかった。

一九四一年一二月、日本は「大東亜戦争」（太平洋戦争）に突入した。そして、戦争最末期の一九四五年八月八日にソビエト連邦が対日宣戦布告をし、翌九日にソ連軍が「満洲国」に侵攻すると、関東軍は当初からの計画通りに速やかに朝鮮半島に南下、満蒙開拓団を置き去りにした。開拓団はソ連軍の攻撃に曝（さら）され、それを逃れるために集団自決に走る開拓団も出た。

ソ連軍の南下とともに、満蒙開拓団に敵意を抱いていた現地住民による開拓団への襲撃が行われるようになっていたが、八月一五日以降に日本の敗戦が明らかになると、襲撃は一挙に激化。多くの開拓民が難民となって「満洲国」の主要都市ハルビンや奉天（ほうてん）（現在の瀋陽市）をめざした。その道程で病死者や自死者が続出し、運よくハルビン、奉天の難民収容所に至り着いても不衛生による発疹チフスと栄養失調で命を失うものが多数出た。「満洲国」に渡った約二七万人の三割に当たる約八万人が帰国できずに亡くなったのである。

満蒙開拓団の派遣は、領土拡張を本質とする帝国主義下の日本の、批判的に検討すべき歴史の一頁と言える。しかも、満蒙開拓団の歴史には、日本と中国・ソ連、日本政府・軍と日本国民をめぐる加害と被害が極端なまでに複雑に絡み合っている。また、その事情はそれぞれの開拓団によって大きく異なっている。満蒙開拓団の歴史を、単純な〝善悪〟の図式で説明することはできない。満蒙開拓団の歴史から教訓を得るためには、それぞれの開拓団に即して、一つ一つの歴史的事実について丁寧な検証を積み重ねてゆくことが不可欠である。

二　堀忠雄と『五福堂開拓団十年記』

現地住民と良好な関係を築いた開拓団

本書で初めて紹介する堀忠雄『拓務省第六次 五福堂開拓団十年記（巻一）』（以下、『五福堂開拓団十年記』）は、満蒙開拓団に関わる歴史的事実を検証するための極めて貴重な資料である。

著者の堀忠雄は、新潟県から派遣された五福堂開拓団の団長である。五福堂開拓団は、未墾地に入植した数少ない開拓団の一つであった（一九三七年〈昭和一二〉年に先遣隊、翌年に本隊が、龍江省〈後に北安省となる〉通北県五徳堂〈現在の黒龍江省北安市南部〉に入植）。未墾地に入植したのは、五福堂開拓団の所属した龍江省総務庁長、後に同省次長の神尾弌春の、「満農」の既墾地を護ることを治安の要諦として、移民への既墾地の提供を禁止するという方針によると思われる（神尾『まぼろしの満洲国』参照）。五福堂開拓団は、現地住民と良好な関係を築き、敗戦後も現地に留まり越冬、終戦時の在籍者約七〇〇名のうちおよそ七割に当たる約四七〇名が帰国を果たした（在籍者数・帰国者数は『満州開拓団史』〈五〇三頁〉と高橋健男『新潟県満州開拓史』〈二七一～二七二頁〉のデータによる）。なお、この帰還者の数字には、中国共産党に残留を命じられ、鶴崗炭鉱などで働くことになった五福堂開拓団員は含まれていない（五福堂開拓団員は中国共産党から優秀な労働力と見られていた）。

現地住民と良好な関係を築いた開拓団としては、五福堂開拓団の他には、大分県派遣の大鶴開拓団が知られており、渡辺雅子によって記録の整理と研究が行われている（『満洲分村移民の昭和史』）。

一方、五福堂開拓団については、一九七七年に堀が中心となって、『榾火（五福堂団史）』がまとめられている。その他に、体験記集や雑誌『満洲開拓追憶記』に発表された堀の文章や、堀や団員による手書き本・私家版が残されている（高橋前掲書、および本書第一部の黒澤勉「拓魂――堀忠雄の生涯」参照）。

これらの豊富な記録に基づく五福堂開拓団の歴史的研究はこれからの課題となっている。五福堂開拓団の歴史的研究は、近代日本の、批判的に検討すべき歴史の中になおも存在していた人間の「可能性」を明らかにすることになろう。それは、悲劇的な歴史を経た、日本人と中国人・中国少数民族との和解の道を一層進めるための手懸かりとなるに相違ない。

団長・堀忠雄の判断

自助努力に頼る外なかった満蒙開拓団では、団長の判断が団員の運命を大きく左右した。既墾地を奪われた現地住民との間に良好な関係を築けず、ソ連軍侵入後に団員の生命を危険に曝すことになった団長も多かった。さらに、団長の判断によって、ソ連軍の要求に従って団員の女性が供出されたり、団員の集団自決が行われたりもした。

その中にあって堀は、「農民が農民のものを奪うやり方が納得いかなくて、未開地をひらいた」(合田一道『追跡・満州開拓団ノート』に収められたインタビューでの発言〈二五二頁〉)という考え方を持っていた。五福堂開拓団に配分された土地七五〇〇ヘクタールのほとんどは湿地と草原であったが、そのうち一三〇ヘクタールは現地住民の既墾地であった。農事指導員・小野元吉は、作付けしてある畑についてはそのまま使用を認め、小作料をとらないなど、現地住民と共存する契約を現地住民との間で交わした(『梢火』七九頁)。この契約は堀の判断なしにはありえないものである。

また、日常的にも五福堂開拓団所属の医師、保健婦、獣医が開拓団員と同じように現地住民やその家畜の診療を行い、医療費の徴集は行わなかった(堀「満州開拓団を反省する」)。「開拓団は曠野を拓きにきたのだ、戦いにきたのではない。だから現地人となか良く助け合っていこう」(合田前掲書、二四八頁)というのが堀の信念であった。

一九四五年八月一六日に日本の敗戦が五福堂開拓団に伝わると、堀は「断固生キ抜クベシ」という方針をとり、直ちに「満洲国軍」に対して降伏文書を記し武装解除した(本書第三部、堀「私は終戦にこう対処した」)。ソ連軍からの女性供出の要求に対しては、「開拓団は農民であり商売女はいない」とはっきりと拒否したのである（『梢火』一五九頁。南下をめぐって老街基開拓団長・出井菊太郎と口論になったとき、「団長として、婦人をソ連軍に提供して南下したのでは、もし生きて帰国できたとしても、一生恥をかくでしょうよ」とも言っている〈堀「敗戦後の通北の日本人」〉)。

書物としての『五福堂開拓団十年記』

『五福堂開拓団十年記』は、このように五福堂開拓団をリードしてきた堀が、一九三七年六月の先遣隊の入植から一九四二年一〇月に至る五年間に起きた五福堂開拓団の主要な事件を記録した手書き本である。背表題に「第一巻」、扉に「巻一」とあり、「緒言」に「「次巻」から、満洲開拓団受難の兆候編になる。」と記す。一九四二年から五福堂開拓団総引き揚げとなる一九四六年九月までを、少なくとも兆候編と受難編の二巻に分かち執筆する構想があったことがわかる。しかし、「第二巻」以降の存在は現時点では確認できない。

その書誌は以下である。手書き本で、奥付はなく、「緒言」末尾に「昭和四十四年六月十五日　記」と記す。一九六九年頃の執筆であるとすると、戦後の堀の著作としては早い時期のものになる。

判型はB5変形（二五・五×一七・八センチメートル。B5よりも横が少し短い）。角背溝付き上製本（表紙＝二六・三×一八・四センチメートル）。黒色布クロス表紙（厚表紙。表表紙に海老色地菊文様〈白抜き〉裂を貼り、継表紙のように見せる。裂は「緒言」によれば妻・史子の着物に由来）。外題は背表題のみで「五

福堂十年記　第一巻」（銀箔押し）、扉に「拓務省第六次五福堂開拓団十年記（巻一）」とある（「第六次」とは満蒙開拓団が最初に派遣された一九三二年度を第一次とする数字）。前後に見返しと同紙の遊紙（あそびがみ）各一枚に、さらに本文共紙（ともがみ）の遊紙一枚。総頁数三三八頁（ノンブルが振られているが、白二頁を飛ばしているため「335」が最終番号。最終頁の裏は白）。本文用紙はやや厚手の無罫のクリーム色上質紙。各頁一〇行、一行二三字程度で、①青黒太字万年筆を用いて楷書で端正に記す。また、②青黒細字万年筆（①と同筆）で注釈や振り仮名などを記す。その他、それぞれ小規模であるが、③黒中字万年筆（①と同筆か不明）による修正、④細字青ボールペン（①③と同筆か不明）による加筆が見られる。写真一葉、図七点（筆は①②。朱色鉛筆も用いた地図が一点ある）、表二点（筆は①②）。なお、堀の自筆（黒細字万年筆。一箇所赤サインペンで加筆）と思われる一九二〇年から一九九三年までの堀の年譜（B5判レポート用紙をセロテープで貼り継ぐ）が挟まれている（本書では割愛）。

その目次を挙げる（〔　〕は目次に見えず本文中に見える章名、および目次とは異なる本文中の章名。また編者による仮の章題。［　］は『榾火』の対応箇所。※は『榾火』に見えないトピック）。

緒言

五福堂新潟村歌……［第一章、一〜二頁、第四節・松井七夫中将との座談会（二〇〜二二頁）。幹部略歴・小学校教員名簿＝第二章第一節・五福堂新潟村の創設（うち八六〜八九頁）、第二節・五福堂小学校（うち一〇二頁）］

〔先遣隊員〕……［第二章第一節・五福堂新潟村の創設（うち七七〜八二頁）］

拓務省第六次五福堂移民団の結成〔拓務省第六次五福堂、新潟村移民団の結成〕……［第

　二章第一節・五福堂新潟村の創設（うち七七〜七八頁）、于文英の書＝第四章序（一九六〜一九七頁）〕

五福堂移民団幹部会議〈五福堂開拓団幹部会議〉……〔第一章第七節・開拓部落の建設（うち三二〜三四頁）〕

※〈佐々木平三郎の被弾死〉……〔第二章第七節・五福堂建設過程に起きた主なる事項（うち一三〇頁（＊簡単な記事のみ））〕

※〈北安会談〉

開拓道路の予算要求……〔第一章第五節・五福堂の用地拡張（二三〜二八頁）〕

新京第一回移民団長会議【＊本書では一部割愛】……〔第一章第二節・第一回移民団長会議（一三〜一五頁）〕

トラクター開墾……〔第一章第一節・地球の皮剝（七〜八頁）〕

※幹部排斥事件【＊本書では割愛】

黒河商談……〔第一章第三節・黒河商談（一六〜一九頁）〕

部落分散……〔第一章第七節・開拓部落の建設（うち三三〜三四頁）、第二章第四節・部落分散（一一七〜一一九頁）〕

※中村長一郎事件

五福堂移民団の営農統計……〔第一章第六節・五福堂営農統計（二八〜二九頁）〕

沃土万里……〔第一章第三節・沃土万里（三四〜四〇頁）〕

※大陸の花嫁達【＊本書では一部割愛】

※〔五福堂開拓団の五ヵ年〕（＊編者による仮の章題）

いぶき寮……〔第一章第九節・いぶき寮（四一〜四四頁）〕

野火……〔第一章第十一節・野火（四七〜五〇頁）、第二章第八節・日本人投獄（一三二〜一三四頁）〕

※青年道場

『五福堂開拓団十年記』の内容は『梢火』としばしば重なっており、『梢火』編集の際の基礎資料の一つとして利用されたと思われる。しかし、※のように『梢火』に見えない章もある。これらの章で堀は、堀と団員、あるいは団員同士の軋轢（あつれき）による事件や、堀自身が企画した若い団員たちのための訓練風景を描き、その中で抱いた迷い・決意・未来への期待を率直に述べる。『梢火』と重なるトピックにおいても、このような、人間に対する堀の関心の深さを見ることができる。『梢火』では簡略に済まされている、関東軍の軍人、「満洲国」の日本人官吏、新潟県の農会技師、満洲拓植公社の幹部、さらには満洲農業移民についての堀の師である加藤完治らと堀との間の、考え方の違いによる人間的対立が詳細に描き込まれている。

『五福堂開拓団十年記』は、未墾地に入植した五福堂開拓団がある程度安定した体制（一九四二年四月に二五〇〇ヘクタール開墾を達成し村制に移行）に至り着くまでの険しい道のりを、開拓団の人間ドラマとして記録している。それは団長としての心の葛藤を、開拓団派遣から約三〇年を経て、整理することでもあったと思われる。

三　堀忠雄の満洲農業移民についての考え

中国語による交渉

『五福堂開拓団十年記』には、『榾火』やこれまで刊行された堀の文章以上に明確に、満洲農業移民についての特徴的な考え方が示されている。それを三点に絞って見てみたい。

第一に、『五福堂開拓団十年記』の二箇所で、堀は流暢に中国語が話せたことを記している（本書六八頁、八〇頁）。これによって、通北県長の于文英と良好な関係を築いている。正確な測量によって、五福堂開拓団の用地不足が判明し、現地住民の既墾地を含む約二〇〇〇町歩を買収する際、于文英の協力を取り付けたのである。その時の「堀団長は、我（于県長）的の意図を十分理解してくれているから、将来、原住民と手を組んでくれるだろう……！」（本書八七頁）という于文英のことばが目を引く。「我的の意図」とは、既墾地をできる限り買収からはずすことである。この点に関して堀と于文英の間に十分な意思疎通がなされていたことが窺える。

堀は中国語を流暢に話せただけでなく、中国の文化と習慣にも通じていた。堀の「私は終戦にこう対処した」（本書第三部）によれば、日本の敗戦後、堀は直ちに「満洲国軍」に対して毛筆で降伏文書を作成したが、それは正式な形式で書かれた文書を絶対に守り信じるという中国人の社会常識に従ったものであった。こうした対応は、五福堂開拓団員の安全を守ることに大きく寄与した。

堀は、満洲農業移民において、中国語の習得や、中国の文化と習慣の理解が極めて重要と認識していたのである。

開拓団の本務は営農

第二に、関東軍が、当時「匪賊(ひぞく)」と呼ばれた反満洲国抗日武装集団に対する戦闘を開拓団に求めたことに対して、拒否する立場を採った。団長就任まもなくの五福堂幹部会議では軍人(関東軍)出身の警備指導員・岸田雄三郎(きしだゆうざぶろう)が、また第一回移民団長会議では、関東軍参謀・片倉衷(かたくらただし)が、堀に「対匪戦」はどうするのかと詰め寄っている(本書七二~七三頁、九七~九八頁)。その真意は、開拓団は積極的に「対匪戦」を行え、ということに外(ほか)ならない。これには、開拓団を反満洲国抗日武装集団との戦いの拠点とするという関東軍の考え方が露骨に表れている。

これに対して、堀は開拓団の本務は戦闘にはない、ときっぱりと答えている。堀は開拓団の役目はあくまでも営農であると考えていた。後に五福堂開拓団を各地区に分けるとき、駐在していた日本軍から「匪賊」対策として密居集落にするよう強力に指導され、これに従うことになったが、「止むなく四戸長屋式にした」ということば(本書一一七頁。傍点は引用者)には、堀の割り切れぬ思いが滲んでいる。

なお、これに関わって、堀が開拓団長を『萬葉集』の防人(さきもり)に擬(なぞら)えていたことに注目したい。第一回移民団長会議後、団長一同は関東軍司令官・植田謙吉(うえだけんきち)に挨拶に行った。その時の植田のことば(『五福堂開拓団十年記』には記されないが、『榾火』に「私達最前線の団長に尽忠報国の精神を以って荒廃する人心を把握し使命達成を期待するという静かな口調で挨拶された」〈一五頁〉とある)に、「萬葉和歌に謡われている防人の精神」に心を躍らせていた一同が感銘を受けたと記す（本書九八頁）。防人は七世紀後半から八世紀半ば過ぎまで設置された、辺境（実際には九州北部）の防備に当たった朝廷の兵士。東国農民から徴集された。移民団長会議の開かれた一九三七年頃に「防人の精神」と言えば、『萬葉集』の、

今日よりは　顧みなくて　大君の　醜の御楯と　出で立つ我は

（巻二〇・四三七三・今奉部与曾布）

〔（訳）今日からは家も我が身も顧みることなく、大君の至らぬ御楯として出発するのだ、私は。（＊日中戦争下の解釈に拠る）〕

の歌に表れた「大君のためには命を投げ出す忠君の精神」（久松潜一『増訂萬葉集の新研究』三一三頁）を指すのが一般的であった。植田のことばに感銘したという文脈からも、堀は天皇への忠義心を胸に、最前線で開拓を進め、「国」に報ずることを決意していたと考えられる。堀も時代の思想に深く影響されていた。しかし、「兵士」となって戦うことはあくまでも拒否したのである。

封建制からの脱皮

第三に、堀は満洲農業移民を「封建制」からの脱皮と捉えていた。開拓団が各地区に分かれた後、高柳地区の盆踊りで、老若男女の躍動感に満ちた踊りを見て、堀は「ここには一抹の封

建制も無く、自由の天地が展開していた」（本書五二頁）と感激した。また、若い開拓民の育成のために「青年道場」の長を引き受けことについても、「私はこの当時まだ、農村の結婚、男女の交際の封建制からの脱皮は、どうすべきか・・・・と、つきつめて考えていなかった」（本書一九六頁）が、ぼんやりと男女交際の場を作ってやる必要があると考えていたという。これらによれば、堀の言う「封建制」とは、身分差を伴う地主制と、それに基づく社会の因襲を指している。堀は、前近代的な「封建制」を乗り越えた村の建設をめざしていたのである。

『五福堂開拓団十年記』で堀が開拓民の「嫁」たちの人生について多くの筆を費やしているのは、「嫁」が「封建制」下では弱い立場に置かれていたからであろう。その中で特に印象的なのは、農事指導員の小野元吉の妻・マツのことばである。小野は小学生のための寮「いぶき寮」の建設に心血を注ぎ、その過労で肺結核となり帰国、一九四四年一二月（『梢火』による。『五福堂開拓団十年記』に一九四三年とあるのは誤り）に亡くなった（享年四〇）。小野の遺骨とともに五福堂開拓団に戻って来たマツは、内地のような「封建的な社会」では生きてゆけないと思い、帰って来た、と堀に言ったのである（本書一七七頁）。

マツのことばは、堀が理想とした、それぞれの団員が営農の主人公である村が実現しつつあったことを窺（うかが）わせる。そもそも「緒言」において堀は、「若い農村婦人」が開拓団に来て開放的になり、その中心には妻・史子がいて、古い慣習に囚われぬ史子のペースに自分も引き込まれていったことを記していた。農村女性の「解放」を描くことが、『五福堂開拓団十年記』執筆の大きな動機の一つであったに相違ない。

なお、堀は、「満洲国」の土地を、県や村の出先用地とせずに、内地の出身地域を超えて協力して開拓することが望ましいと考えていた（本書一九六頁）。この方法は、地縁と無関係に新たな村を創ることであり、「封建制」からの脱皮を徹底するものである。しかし、それは農林省と拓務省が推進する「分村移民」（既存の村単位の移民）の方針を根本から覆すものであった。開拓村について、堀は時代の常識を超える極めて革新的な考えを持っていたのである。

四　『五福堂開拓団十年記』の注目される記事

史料的意義のある記事

最後に、今後の「満洲国」と満蒙開拓団の研究にとって史料として重要と思われる『五福堂開拓団十年記』中の記事を箇条書きしておきたい。

①開拓団幹部の給与についての情報（本書五六頁）。

②陸軍軍人・東宮鉄男が率いる青少年移民団「饒河少年隊」が、ソ連と「満洲国」国境が不穏となった場合に、ウラジオストクに通じる鉄道爆破の先鞭を付ける密命を受けていたこと（本書六六〜六八頁）。

③一九三七年に五福堂開拓団が、アメリカ製のモーア、テッダー、レーキ、ヘープレス、リーパー、カルチパッカーなどの農機具を導入したこと（北海道製農機具は材質が劣るため）。（本

書一〇六頁）［五福堂開拓団が入植当初に欧米農法あるいは北海道農法をめざしていたことを示す。ただし、今井良一によればその効果は限定的なものに止まった（『満洲農業開拓民』一二九～一三九頁）］

④ソ連との国境の町・黒河（現在の黒龍江省黒河市）が日本の軍人たちの荒んだ空気に満ちており、その軍人たちが二・二六事件（一九三六年）の決起部隊の一つ「麻布三聯隊」の兵隊と噂されていたこと（本書一一一頁）。［「麻布三聯隊」は第一師団歩兵第三聯隊で、一九三六年五月に「満洲国」に渡り、チチハルを拠点とした］

⑤黒河で、日本軍が対岸のブラゴベシチェンスク（『五福堂開拓団十年記』では「ブラゴエチェンスク」）襲撃のためにアムール川底にトンネルを構築しているという噂があったこと（本書一一二頁）。

⑥「満洲国」側では「苦力」が大興安嶺の山中から木材を切り出し、筏でアムール川を黒河に下り、ソ連側でもロシア人が筏でアムール川を下って来ていたこと（本書一一三頁）。

⑦五福堂小学校教諭・八重樫久次郎（『梢火』によれば岩手県より出向）が宮澤賢治の教え子であったこと（本書一七〇頁）。［賢治は花巻農学校で教鞭を執った（一九二一～二六年）］

⑧女性飛行士であった西崎キクが、堀が長を務める「青年道場」の青年女子部門の主任であったこと（本書一八八頁）。［キクは一九三三年に日本女性初の水上飛行機操縦免許取得。翌年、「満洲国」建国祝賀親善のため「白菊号」を操縦し日本海を横断］

自然描写の魅力

『五福堂開拓団十年記』には、中国東北部の自然の風景についての印象的な描写が随所に鏤められており、それが大きな魅力となっている。その中でも特に鮮やかな描写を紹介しておきたい。

満洲の大草原ばかりに住んでくると、人間の心は荒さんで来る。春は、今盛りと栄えるが短命にして、秋の木枯に、万物が黒変、黄変、生が終った如く寂として、風の音のみが残る。しかし、小興安嶺の松や樅は、春となっても驕らず静かに伸び、秋と云えども、たゆまず落葉もしない。厳寒零下五十度になっても、青黒い葉は、生命を持ち続けていた。環境の悪るい所に繁茂した松は、身が太りすぎる年代までは活き続けたが、僅かの風で根こそぎ倒れているのもあった。

（本書一九三～一九四頁）

この文章には、「満洲国」の自然と人間の生命を見続けた堀忠雄の確かな目が存在している。

＊なお、堀が発表した諸文章には異同がある（例えば、『五福堂開拓団十年記』と『梢火』の間で出来事の時系列が異なる）。その詳細な検討は今後の課題としたい。

主な参考文献

堀忠雄編『梢火（五福堂団史）』五福堂団史「梢火」刊行会（発行者・富山富三郎）、一九七七

堀忠雄「満州開拓団を反省する」堀忠雄編『満州開拓追憶記　第一六集』岩手県拓友協会、一九八九・八
堀忠雄「敗戦後の通北の日本人」満拓会編『ドキュメント満洲開拓物語』あずさ書房、一九八六
村田徳雄資料追加版『楫火（五福堂団史）』［村田徳雄、一九九二］〔＊『楫火』を複写し、その余白に当時の新聞記事や高柳村に関わる開拓団（五福堂、清和、東火犁）についての記録六六点を貼り付け、末尾に一九八九年の中西達郎の五福堂故地訪問記を加えて印刷した本〕

※

今井良一『満洲農業開拓民―「東亜農業のショウウィンドウ」建設の結末―』三人社、二〇一八
神尾弌春『まぼろしの満洲国』日中出版、一九八三
黒澤勉『オーラルヒストリー「拓魂」―満州・シベリア・岩手―』風詠社、二〇一四
合田一道『追跡・満州開拓団幻のノート』富士書苑、一九七八
合田一道『開拓団壊滅す―「北満農民救済記録」から―』北海道新聞社、一九九一
小林英夫『〈満洲〉の歴史』講談社現代新書、講談社、二〇〇八
島田俊彦『関東軍　在満陸軍の独走』講談社学術文庫、講談社、二〇〇五
高橋健男『赤い夕陽の満州にて「昭和」への旅』文芸社、二〇〇九
高橋健男『新潟県満州開拓史』文化、二〇一〇
新潟県『新潟県史』通史編８ 近代三、新潟県、一九八八
久松潜一『増訂萬葉集の新研究』至文堂、一九二九
二松啓紀『移民たちの「満州」満蒙開拓団の虚と実』平凡社新書、平凡社、二〇一五
満洲開拓史復刊委員会企画編集『満洲開拓史（増補再版）』全国拓共協議会、一九八〇
渡辺雅子『満洲分村移民の昭和史―残留者なしの引揚げ 大分県大鶴開拓団』彩流社、二〇一一

あとがき

堀忠雄と五福堂開拓団のことを編者の一人である私が知ったのは、岩手県派遣第八次老永府開拓団の情報を集めている最中であった。老永府開拓団は私の祖父・栃村慶夫が農事指導員として最後に勤務した開拓団である。栃村慶夫は一九三七年（昭和一二）に単身「満洲国」に渡った。

一九四五年（昭和二〇）初冬から四六年夏にかけての、老永府開拓団を含む約百団の満蒙開拓団の避難状況を記録した「北満農民救済記録」という報告書がある。これを紹介した合田一道氏の『開拓団壊滅す ―「北満農民救済記録」から―』（北海道新聞社、一九九一）に、ほとんどの開拓団が悲惨な逃避行を体験することになったのに対し、「例外的なケース」として取り上げられていたのが五福堂開拓団であった。

五福堂開拓団は、現地住民の襲撃に遭ったものの、他の開拓団のような致命的な被害を受けることはなかった。それは、この開拓団が入植したのが未墾地であり、また堀団長の「日本人も中国人も農民は農民同士」という方針が浸透していたことによるという。さらに、敗戦後、堀団長は、ソ連軍による女性の供出要求も拒否していた。私はこのような開拓団が存在していたことに驚き、その名を深く心に刻んだ。

一九四五年九月一〇日に、私の祖父・栃村慶夫は、老永府開拓団近くの宮城県派遣第八次韓家開拓団で、少数民族・オロチョン族の銃撃手を先頭に立てた現地住民の襲撃によって、命を落とした。「韓家事件」と言われるこの襲撃の概要を、宮城県立図書館や岩手県立図書館の資料で知った私は、二〇一六年七月、知友、林忠鵬氏（東北師範大学教授）の案内で韓家開拓団と老永府開拓団の故地を訪ねた。祖父没後七一年にして初めての、遺族による慰霊の旅であった。故地を訪ねて、祖父がどのような思いを抱きながら開拓団で生き、生涯を終えたかを知りたいという思いはますます強まった。しかし、老永府開拓団について書かれた資料はわずかであり、調査は壁に突き当たった。

そのようなときに目にしたのが、「盛岡タイムス」ＷｅｂＮｅｗｓの二〇一四年一月二四日付記事「〈口ずさむとき〉４１５　伊藤幸子「満州体験」」であった。記事は、盛岡市の「岩手県満州開拓殉難之塔」の前で、さんさ踊りが披露されたことを伝えていた。老永府開拓団について知る人が慰霊祭に参加していたかもしれないと思い、盛岡タイムス社に連絡をとったところ、岩手県派遣の満蒙開拓団について詳しい人物として紹介されたのが、本書のもう一人の編者・黒澤勉氏であった。

黒澤氏は「21世紀日中東北の会」を主宰し、岩手県派遣満蒙開拓団についての聞き書きと資料収集を進め、『オーラルヒストリー「拓魂」―満州・シベリア・岩手』（風詠社、二〇一四）などを出版されていた。黒澤氏は、慰霊祭についてよく知る山下キヌ氏（21世紀日中東北の会書記長）を紹介してくださった。

山下氏とのやり取りの中で、堀忠雄の業績はもっと知られてしかるべきであると述べたところ、山下氏は堀忠雄が残した未公開資料の存在を知らせてくださった。その一方で、山下氏は、堀に対する私の関心を黒澤氏に伝えてくださり、黒澤氏からは、氏が預かっている、貴重な上に文学作品としても密度の高い堀の未刊著作群を世に出したいという強い願いを打ち明けられた。二〇二〇年九月のことである。

同年一一月、黒澤氏は、堀が「唄う村民にしよう。歌う村を創ろう」と、宮澤賢治に通ずる理想を掲げて開拓に取り組んだことを書き記した、著作群の中でも最も印象深い『拓務省第六次 五福堂開拓団十年記（巻二）』をぜひとも出版したい、と心を定め、私に助勢を求められた。

黒澤氏から、この手書き本の閲読機会を賜った私は、深い感銘を受けずにはいられなかった。そこには、前述の合田氏の本で知った堀の考え方と行動の背後にある、人間的な心の動きがありのままに綴（つづ）られていた。堀の生き生きとした筆致から、中国東北部の自然や、そこで喜びと悲しみを分かち合いながら暮らす団員たちの姿も、目に浮かぶようであった。とりわけ、水田耕作に打ち込んで挫折し、開拓団の小学生の学寮「いぶき寮」の建設に心血を注ぐあまり病に倒れて命を落とした農事指導員・小野元吉の壮烈な生涯には、胸を打たれた。

また、これまで活字となった堀の文章には見られない、『萬葉集』についての言及もあった。『萬葉集』の研究を専門とし、特に戦争下におけるその受容について研究を進めている私には、満蒙開拓団と『萬葉集』の関係を示す新たな材料としても注目された。

満蒙開拓団の歴史の真実に一歩近づくことのできる書物として、出版は大変意義深いものと考え、二〇年来の知己、岡田圭介氏に相談した。岡田氏の経営する文学通信は、日本文学・日本史を中心に人文知の新たなあり方を追求している出版社である。手書き本を一読した岡田氏は出版を快諾してくださった。

こうして、堀の評伝を黒澤氏が、『拓務省第六次 五福堂開拓団十年記（巻一）』の翻刻・本文の整備・注釈・解説を私が担当して、本書を世に送り出すこととなった。編集は文学通信の渡辺哲史氏が担当し、この貴重な資料が今日の読者に確実に届くよう、細やかに心を砕いてくださった。

なお、「私は終戦にこう対処した」については平和祈念展示資料館より、満洲国全図については国書刊行会より転載の御許可を賜った。『五福堂開拓団十年記』中の中国語の日本語訳は唐銘遠氏（青山学院大学大学院博士後期課程）の助力を得た。記して謝意を表したい。

二〇二一年一一月二日

小松靖彦

追記　本書校正中に、堀忠雄氏の孫の渡辺弘和氏に面識を得、渡辺氏の所蔵される堀氏と五福堂開拓団に関わる多数の資料について知る機会を得た。それらには、本書制作までに知られていなかった資料も含まれていた。また、渡辺氏からは、本書の編者が知り得なかった、堀氏のエピソードも教えていただいた。今後、渡辺氏のご協力を得ながら、既知のものも含め、堀氏と五福堂開拓団に関する資料の整備を進める予定である。

（二〇二一年一二月一九日、小松記）

著　者　堀 忠雄（ほり・ただお）

1910 年、山形県酒田市生まれ。東京帝国大学農学部実科卒業。1934 年、満洲国奉天北大営の農場主任として満洲に渡る。賓県農芸訓練所長などを務めたのち、1937 年、五福堂新潟村移民団長に任命される。敗戦後の 1946 年に本土に帰国。岩手県職員、農協中央会営農部長などを務めたのち、1965 年、定年退職。2003 年没。
編著に『満洲開拓追憶記』（第 1 集〜第 28 集）、『榾火（五福堂団史）』（五福堂団史「榾火」刊行会）、共著に『山の上の神々』（あづま書房）など。

編　者　黒澤 勉（くろさわ・つとむ）

1945 年、青森県十和田市生まれ。県立三本木高校を経て東北大学文学部国文学科卒業。岩手県内の高校に 22 年間勤務した後、岩手医科大学で 20 年間文学、日本語表現論などを教え、2011 年に定年退職。退職後、中国の大連に合わせて 9 か月短期留学。（定年前著書）『日本語つれづれ草』、『盛岡言葉入門』、『言葉と心』、『東北民謡の父　武田忠一郎伝』、『病者の文学　正岡子規』、『子規の書簡上・下』、『宮澤賢治作品選』など。（定年退職後）『大連通信』（盛岡タイムス連載）、『陣中日記』（月刊俳句界連載）、『マイコプラズマ肺炎日記』（詩集）、『オーラルヒストリー　拓魂』、『岩手山麓開拓物語』、『木を植えた人・二戸のフランシスコ　ゲオルク・シュトルム神父の生活と思想』、近著に『満州開拓民の悲劇』（ツーワンライフ出版）など。

編　者　小松靖彦（こまつ・やすひこ）

1961 年、栃木県宇都宮市生まれ。東京大学文学部卒業。東京大学大学院人文科学研究科博士課程修了。青山学院大学教授。博士（文学）。
著書に、『萬葉学史の研究』（おうふう、上代文学会賞、全国大学国語国文学会賞受賞）、『万葉集　隠された歴史のメッセージ』（角川選書）、『万葉集と日本人　読み継がれる千二百年の歴史』（角川選書、古代歴史文化賞受賞）、『戦争下の文学者たち——『萬葉集』と生きた歌人・詩人・小説家』（花鳥社）など。

未墾地に入植した満蒙開拓団長の記録
——堀忠雄『五福堂開拓団十年記』を読む

2022（令和 4）年 3 月 15 日　第 1 版第 1 刷発行
ISBN978-4-909658-71-5 C0036

ご意見・ご感想はこちらからも送れます。上記のQRコードを読み取ってください。

発行所　株式会社 **文学通信**
〒 114-0001 東京都北区東十条 1-18-1 東十条ビル 1-101
電話 03-5939-9027　Fax 03-5939-9094
メール info@bungaku-report.com ウェブ https://bungaku-report.com

発行人　岡田圭介

印刷・製本　モリモト印刷

※乱丁・落丁本はお取り替えいたしますので、ご一報ください。書影は自由にお使いください。

文学通信の本

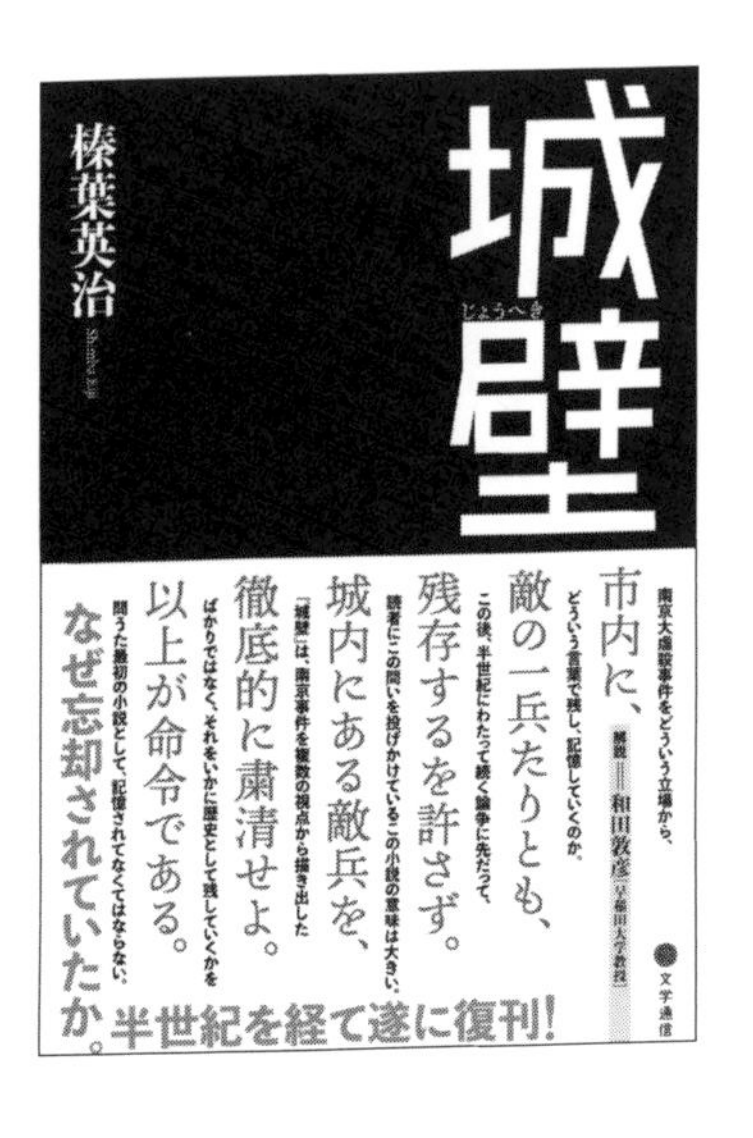

城壁

榛葉英治
解説・和田敦彦［早稲田大学教授］

南京大虐殺事件をどういう立場から、どういう言葉で残し、記憶していくのか。一九六四年に河出書房新社から刊行された、直木賞作家が描いた問題作『城壁』を、いま、新たに光をあてるべく、半世紀を経て遂に復刊。

◉定価：本体 2,400 円（税別）
ISBN978-4-909658-30-2　四六判・296 頁

REKIHAKU
特集・日記がひらく歴史のトビラ

国立歴史民俗博物館・三上喜孝・内田順子［編］

国立歴史民俗博物館発！　歴史と文化への好奇心をひらく『REKIHAKU』！
本書の特集は「日記がひらく歴史のトビラ」。日記という一人称の史料から、どのような歴史が描けるのか、日記研究の魅力と困難を、時代や地域やジェンダーを越えて語る。

◉定価：本体 2,400 円（税別）
ISBN978-4-909658-57-9　A5 判・112 頁・フルカラー